Formación Cívica y Ética

Segundo grado

SEP

SECRETARÍA DE
EDUCACIÓN PÚBLICA

Esta edición de *Formación Cívica y Ética. Segundo grado* fue desarrollada por la Dirección General de Materiales Educativos (DGME) de la Subsecretaría de Educación Básica, Secretaría de Educación Pública.

Secretaría de Educación Pública
Alonso Lujambio Irazábal

Subsecretaría de Educación Básica
José Fernando González Sánchez

Dirección General de Materiales Educativos
María Edith Bernáldez Reyes

Coordinación técnico-pedagógica
Dirección de Desarrollo e Innovación de Materiales Educativos, DGME/SEP
María Cristina Martínez Mercado, Ana Lilia Romero Vázquez

Coordinación académica
Universidad Nacional Autónoma de México:
Lilian Álvarez Arellano

Autores
Universidad Nacional Autónoma de México:
Lilian Álvarez Arellano, Patricia Ávila Díaz, Bulmaro Reyes Coria
Universidad Pedagógica Nacional: Valentina Cantón Arjona, Adriana Corona Vargas
Escuela Normal Superior de México: María Esther Juárez Herrera
Universidad del Valle del México: Norma Romero Irene

Asesoría
Instituto de Investigaciones Filológicas/UNAM:
Rubén Bonifaz Nuño

Corrección de estilo
Instituto de Investigaciones Filológicas/UNAM:
Jesús Gómez Morán

Revisión pedagógica
Ana Hilda Sánchez Díaz, Leticia Araceli Martínez Zárate, Ana Cecilia Durán Pacheco, Ángela Quiroga Quiroga

Coordinación editorial
Dirección Editorial, DGME/SEP
Elena Ortiz Hernán Pupareli, Alejandro Portilla de Buen, Rosa María Oliver Villanueva

Investigación iconográfica
Claudia C. Lasso Jiménez, Laura Raquel Montero Segura, Irene León Coxtinica

Portada
Diseño de colección: Carlos Palleiro
Ilustración de portada: Ericka Martínez

Primera edición, 2008
Tercera edición, 2010
Primera reimpresión, 2011 (ciclo escolar 2011-2012)

D.R. © Secretaría de Educación Pública, 2008
Argentina 28, Centro,
06020, México, D.F.

ISBN: 978-607-469-397-3

Impreso en México
DISTRIBUCIÓN GRATUITA-PROHIBIDA SU VENTA

Servicios editoriales
Stega Diseño, S.C.

Diseño gráfico
Moisés Fierro Campos, Juan Antonio García Trejo, Paola Stephens Díaz

Ilustraciones
Ángel Campos (pp. 8-9, 28-29, 52-53, 76-77, 102-103), Julián Cicero Olivares (pp. 44-45), Juan A. García (p. 37), Arturo Ramírez (pp. 20-21, 26, 41, 42-43, 46-47, 50, 68-69, 72-73, 94-95, 116-117), Pablo Rulfo (p. 16). *Idea original de las ilustraciones*: Alex Echeverría (pp. 20 y 21).

Apoyo institucional
Centro de Investigación para el Desarrollo, A.C.; El Colegio de México; Comisión de Derechos Humanos del Distrito Federal; Comisión Nacional del Deporte; Comisión Nacional para el Desarrollo de los Pueblos Indígenas; Comisión Nacional para Prevenir la Discriminación; Confederación de Cámaras Industriales, Comisión de Educación; Congreso de la Unión, Cámara de Diputados, Comisión de Educación Pública y Servicios Educativos; Ejército y Fuerza Aérea; Universidad del Ejército y Fuerza Aérea; Fundación Ahora, A. C.; Iniciativa Ciudadana para el Diálogo Democrático; Instituto Electoral del Distrito Federal; Instituto Federal de Acceso a la Información; Instituto Federal Electoral, Dirección Ejecutiva de Capacitación Electoral y Educación Cívica; Instituto Mexicano de la Juventud; Instituto Nacional de Antropología e Historia, Dirección de Museos y Laboratorio de Geofísica; Instituto Nacional del Derecho de Autor; Instituto Nacional de las Mujeres; Instituto Nacional de Lenguas Indígenas; Mexicanos Primero; México Unido contra la Delincuencia; Navega Protegido en Internet; Secretaría de Educación Pública, Coordinación General de Educación Intercultural Bilingüe, Dirección de Relaciones Internacionales, Escuela Segura y Unidad de Planeación y Evaluación de Políticas Educativas; Secretaría del Medio Ambiente y Recursos Naturales, Centro de Educación y Capacitación para el Desarrollo Sustentable; Servicios a la Juventud, A. C.; Sistema Nacional para el Desarrollo Integral de la Familia, Dirección General de Enlace Interinstitucional; Suprema Corte de Justicia de la Nación; Universidad Nacional Autónoma de México, Instituto de Investigaciones Filológicas, Instituto de Investigaciones Jurídicas; Secretaría de Gobernación, Dirección General de Cultura y Formación Cívica, Dirección General de Protección Civil; Secretaría de Marina, Dirección General Adjunta de Educación Naval; Secretaría de Relaciones Exteriores, Archivo Histórico; Secretaría de Salud, Subsecretaría de Prevención y Promoción de la Salud; Secretaría del Trabajo y Previsión Social; Transparencia Mexicana; Fondo de las Naciones Unidas para la Infancia (UNICEF). Los conceptos jurídicos y de formación ciudadana se elaboraron en conjunción con el Instituto Federal Electoral y el Instituto de Investigaciones Jurídicas de la Universidad Nacional Autónoma de México; los relacionados con el cuidado de la salud y el desarrollo, con la Secretaría de Salud. El Centro de Educación y Capacitación para el Desarrollo Sustentable brindó las definiciones de su campo. El Instituto Federal Electoral desarrolló los contenidos de participación ciudadana y la glosa de la Constitución Política de los Estados Unidos Mexicanos.

Participaron los siguientes ciudadanos: Isidro Cisneros, Germán Dehesa, Enrique Krauze (El Colegio Nacional), Cecilia Loría Saviñón, Armando Manzanero, Eduardo Matos Moctezuma (El Colegio Nacional), Mario José Molina Henríquez (El Colegio Nacional), Carlos Monsiváis y Adolfo Sánchez Vázquez.

Agradecimientos
La SEP extiende un especial agradecimiento a la Universidad Pedagógica Nacional (UPN), por su participación en el desarrollo de esta edición.

Se agradece la atenta lectura de más de once mil maestras, maestros y autoridades educativas y sindicales, quienes participaron en las jornadas de exploración de material educativo de todo el país, y expresaron sus puntos de vista en la página web armada para ello. Asimismo, las revisiones y comentarios del Instituto Federal Electoral, de los miembros del Consejo Consultivo Interinstitucional para la Educación Básica y el constituido para revisar el diseño curricular del Programa Integral de Formación Cívica y Ética, así como la revisión de El Colegio de México.

Presentación

La Secretaría de Educación Pública, en el marco de la Reforma Integral de la Educación Básica, plantea una propuesta integrada de libros de texto desde un nuevo enfoque que hace énfasis en la participación de los alumnos para el desarrollo de las competencias básicas para la vida y el trabajo. Este enfoque incorpora como apoyo Tecnologías de la Información y Comunicación (TIC), materiales y equipamientos audiovisuales e informáticos que, junto con las bibliotecas de aula y escolares, enriquecen el conocimiento en las escuelas mexicanas.

Después de varias etapas, en este ciclo se consolida la Reforma en los seis grados y, en consecuencia, se presenta esta propuesta completa de los nuevos libros de texto, que abarca la totalidad de las asignaturas en todos los grados.

Este libro de texto incluye estrategias innovadoras para el trabajo escolar, demandando competencias docentes orientadas al aprovechamiento de distintas fuentes de información, el uso intensivo de la tecnología, la comprensión de las herramientas y de los lenguajes que niños y jóvenes utilizan en la sociedad del conocimiento. Al mismo tiempo, se busca que los estudiantes adquieran habilidades para aprender de manera autónoma, y que los padres de familia valoren y acompañen el cambio hacia la escuela mexicana del futuro.

Su elaboración es el resultado de una serie de acciones de colaboración, como la Alianza por la Calidad de la Educación, así como con múltiples actores entre los que destacan asociaciones de padres de familia, investigadores del campo de la educación, organismos evaluadores, maestros y expertos en diversas disciplinas. Todos han nutrido el contenido del libro desde distintas plataformas y a través de su experiencia. A ellos, la Secretaría de Educación Pública les extiende un sentido agradecimiento por el compromiso demostrado con

Secretaría de Educación Pública

Índice

Formación Cívica y Ética • Segundo grado

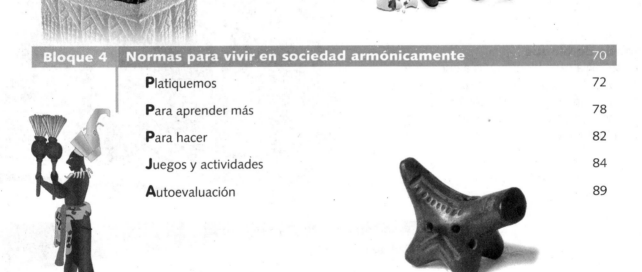

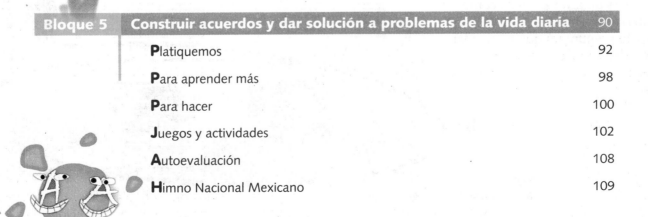

Todos los niños y todas las niñas del país están estudiando lo mismo que tú con el fin de tener una base sólida para comunicarse, entenderse, colaborar y respetarse. Por eso tu participación en esta asignatura es fundamental.

En cada unidad sabrás qué vas a aprender, y al final podrás evaluar cómo vas.

Siempre contarás con la guía de tu maestra o tu maestro, quienes conducirán el trabajo en clase y te ayudarán a aprender y convivir con tus compañeras y compañeros.

Portada de bloque

Aquí se inicia cada bloque. Vas a encontrar el título, que se refiere al tema que abordarás con tus compañeros y compañeras.

En esta página se dice para qué te sirve el contenido que vas a trabajar.

Platiquemos

Tu maestra o tu maestro te leerá pasajes de estas páginas como si fueran una historia.

Te preguntará qué te parecen las ideas que aquí se expresan, y te invitará a comentarlas con tu grupo.

Cenefa

Mira y analiza las imágenes de la cenefa. Cuentan una historia y hablan del patrimonio de todos. Sirven también para despertar tu interés en la investigación y para relacionar lo que aprendes en esta asignatura con otras del grado que cursas.

Para aprender más
Aquí, escritores e instituciones de tu país comparten contigo su conocimiento. Tu maestra o tu maestro va a seleccionar los textos idóneos para impulsar tu desarrollo.

Para hacer
En esta sección encontrarás caminos, también llamados métodos, para aprender y avanzar en tu formación cívica y ética.

Juegos y actividades
Jugando y haciendo comprenderás mejor los temas que se abordan en cada bloque.

Autoevaluación
¿Cuánto te has superado, y qué puedes hacer para avanzar más? Evalúate y traza un plan de acción para mejorar.

Niñas y niños
que crecen y se cuidan

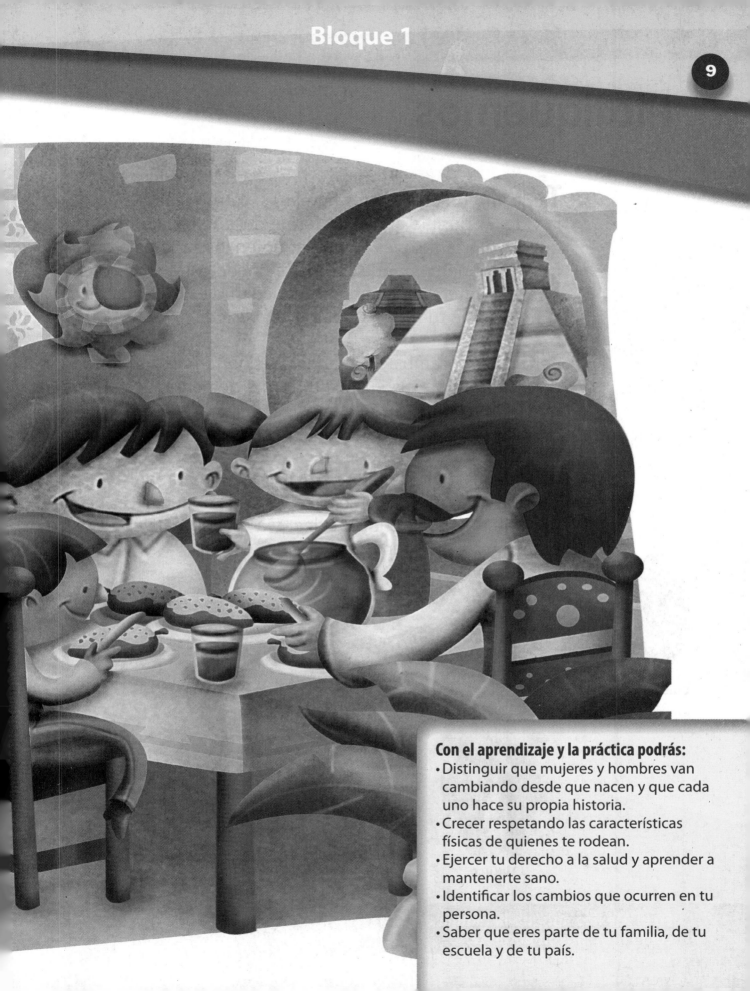

Con el aprendizaje y la práctica podrás:
- Distinguir que mujeres y hombres van cambiando desde que nacen y que cada uno hace su propia historia.
- Crecer respetando las características físicas de quienes te rodean.
- Ejercer tu derecho a la salud y aprender a mantenerte sano.
- Identificar los cambios que ocurren en tu persona.
- Saber que eres parte de tu familia, de tu escuela y de tu país.

Platiquemos

Tú, como todos los seres humanos, cambias a lo largo de la vida. Es posible que el uniforme del año pasado no te quede. Quizá tus pies ya no entren en los zapatos o que éstos te aprieten, y que la ropa te quede corta y ya no te cierre. Es interesante ver cómo tu cuerpo es más grande y la medida de tu ropa y zapatos ha crecido.

Pero no sólo cambia tu apariencia, sino también tu forma de comportarte, tus gustos, tu forma de pensar, los planes que haces y otros rasgos tuyos.

Así, al mismo tiempo que creces, desarrollas nuevas habilidades. Por ejemplo, de más pequeño aprendiste a caminar y a hablar, a comer solo y a pedir lo que necesitas. Recientemente aprendiste a leer y a escribir; tal vez practiques algún deporte.

Cultura olmeca

Tlatilco

Cultura de Occidente

En el México antiguo la familia era, como hoy, muy importante. Veamos algunas figuras de escenas familiares.

A medida que creces, otros aspectos de tu vida también cambian: tienes nuevos amigos, has aprendido juegos nuevos, estás conociendo otros lugares y, seguramente, te comportas de manera distinta. Tienes la capacidad de emprender nuevas ocupaciones relacionadas con el cuidado de tu persona porque ya conoces algunas de las consecuencias de no mirar por tu salud y seguridad.

La lista de los cambios que has tenido es tu historia personal. Seguramente no recuerdas, porque son cambios que pasaron cuando eras pequeño: cuándo te empezaron a salir los dientes o cuáles fueron las primeras palabras que aprendiste, pero puedes preguntarlo a tus papás, a tus abuelos o a tus hermanos mayores.

Cultura de Occidente

Cultura maya

Cultura huasteca

El cuidado de las niñas y los niños estaba a cargo de los padres y los abuelos.

También puedes averiguar esa historia con fotografías, recordando tus juguetes o cosas relacionadas con tu familia.

Cada ser humano tiene una historia especial, diferente a la de los demás. También cada familia tiene su historia. Tu vida está ligada a esa historia familiar porque tú has vivido en esa familia.

En tu familia te dieron tu nombre, te enseñaron a hablar y te dan cariño y protección. También te han enseñado a vivir en paz con las personas que te rodean y a suavizar tus modos de portarte con ellas. Para eso te han enseñado a usar lo que se llaman buenos modales, como pedir las cosas por favor y dar las gracias.

Cultura de Occidente

Cultura de Occidente

A los hijos se les recibía con alegría y dulces palabras.

Se les cuidaba y arrullaba en sus cunas.

Sean grandes o pequeñas, las familias tienen costumbres, gustos, tradiciones y normas que las identifican. En la familia se comparten experiencias, logros, preocupaciones y planes de todos. Sus integrantes se ayudan entre sí y eso los hace sentirse seguros y queridos.

En nuestro país los niños y las niñas tienen el derecho a crecer con su familia en un ambiente de cariño y protección. Crecer con cuidados y cariño de tu familia te ayuda a aprender a identificar, prevenir y evitar lo que puede dañarte físicamente o herir tus sentimientos.

Cultura totonaca

Cuidar tu sano desarrollo es una de las funciones de tu familia; sin embargo, también es una de tus tareas más importantes. Si comprendes cómo funciona tu cuerpo, podrás cuidarte bien.

Las madres llevaban a sus hijos en sus brazos y los paseaban en su espalda.

Cultura de Occidente

Proteger tu salud requiere de tu empeño. Para ello, además de conocer cómo funciona tu cuerpo, es necesario que comprendas cómo alimentarte de manera correcta y la importancia de practicar normas básicas de higiene, como bañarte diariamente, lavar tu ropa todos los días, y tus dientes después de comer.

También te cuidas cuando evitas riesgos que te pueden llevar a sufrir un accidente, como sería jugar cerca de líquidos calientes o con fuego. Este tipo de accidentes puede provocarte graves daños. Piensa en qué lugares puede haber esos peligros y evítalos.

Disfrutar del tiempo libre, jugar sanamente y practicar algún deporte son actividades que, además de divertirte, te ayudan a desarrollar tus

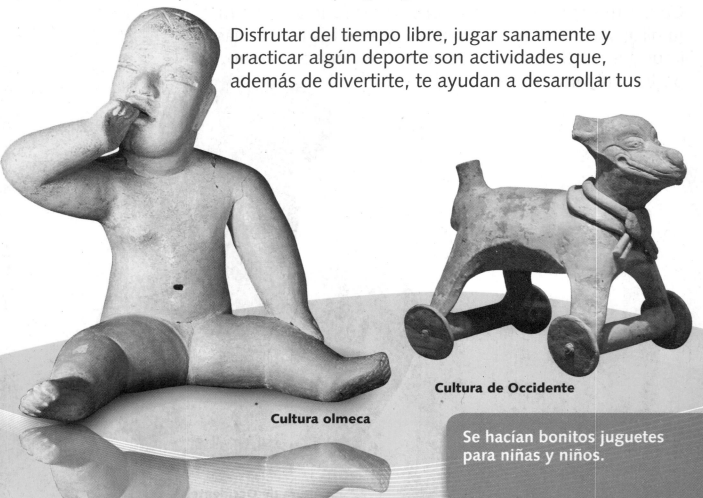

Cultura olmeca

Cultura de Occidente

Se hacían bonitos juguetes para niñas y niños.

destrezas físicas y aprender a convivir con otras personas de manera organizada. Son además una manera de cuidar tu salud mental, esto es, la expresión y el equilibrio de tus emociones.

Has observado que las personas tienen capacidades diferentes. Tal vez actividades como las relacionadas con la aritmética y el dibujo, o el deporte y la música, se te faciliten; tal vez otras se te dificulten.

Tal vez tú o alguno de tus compañeros tengan dificultad para hablar, escuchar o moverse. Nada de esto debe ser objeto de burla. Tú siempre podrás tanto pedir ayuda como ayudar, lo mismo a tus compañeros, que a integrantes de tu familia o a personas mayores.

El respeto de las personas, sus características y sus derechos es la base para que se desarrollen bien y vivan en armonía con los demás.

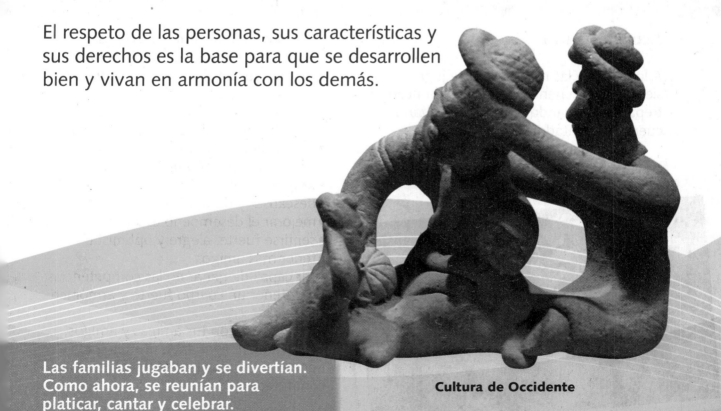

Las familias jugaban y se divertían. Como ahora, se reunían para platicar, cantar y celebrar.

Cultura de Occidente

Para aprender más

Nutrición

Las niñas y los niños sanos y fuertes:

- comen alimentos limpios y nutritivos;
- desayunan antes de ir a la escuela;
- comen verdura y fruta;
- toman una colación de verduras o frutas a media mañana y a media tarde;
- prefieren comer carne de aves como pollo, también pescado, atún o sardina, en lugar de carne de cerdo o comida con mucha grasa;
- comen cereales como arroz, tortillas o pan, así como frijoles, garbanzos y lentejas;
- comen pocas golosinas, refrescos y frituras porque esto no los nutre, sólo los engorda;
- siempre se lavan las manos antes de comer y recomiendan a los adultos que antes de preparar sus alimentos se laven las manos.

Recuerda: Los niños sanos y fuertes están mejor preparados para estudiar y competir en los deportes y evitar enfermedades como la diabetes.

Secretaría de Salud

Actividad física

A los niños y las niñas les gusta jugar; siempre están riendo, corriendo, brincando, trepando, lanzando una pelota, saltando la cuerda o montados en una bicicleta.

La actividad física es parte de su naturaleza, la necesitan para crecer y desarrollarse.

Es necesario realizar ejercicio físico diariamente entre 30 minutos y una hora, y de preferencia al aire libre, ya que esto ayuda a:

- el mejor funcionamiento del corazón;
- fortalecer los huesos;
- desarrollar los músculos;
- tener buena digestión;
- descansar y dormir bien;
- mejorar el desempeño escolar;
- sentirse fuerte, alegre y optimista;
- tener más amigos;
- ser capaz de ganar en las competencias;
- mantener un cuerpo fuerte y armónico.

Diviértete con tus amigas y amigos. ¡Muévete! Te ayudará a disminuir el tiempo que pasas frente al televisor o la computadora.

Secretaría de Salud

¡Cuídate de quemarte!

- Evita jugar dentro de la cocina.
- No te acerques a la estufa cuando está encendida y alguien está cocinando.
- Di a los mayores que no dejen que las asas de las ollas o los mangos de las sartenes sobresalgan de las hornillas de la estufa.
- Procura no manejar recipientes con líquidos calientes, como la olla o el plato de la sopa, la taza de leche o el atole.
- Evita jugar con cerillos, encendedores, o encender estufas o fogatas dentro o fuera de la casa.
- Evita jugar con cohetes y acercarte a quienes los manipulan. Manténte lejos de los fuegos artificiales. Recuerda que son explosivos.

¡Cuidado con el dengue!

El dengue se transmite por la picadura de un mosco infectado.

¿Qué se puede hacer para prevenir el dengue?

- A los enfermos se les debe proteger (aislar) con pabellones para evitar picaduras de mosquitos que puedan infectarse y transmitir el virus a más personas.
- Eliminar los zancudos y evitar sus picaduras.
- Se deben eliminar las larvas del mosquito destruyendo los criaderos. No dejes llantas, botellas, ollas o cualquier otro objeto que pueda acumular agua en patios y jardines.
- Guardar las llantas bajo techo o perforarlas.
- Limpiar semanalmente con cepillo y jabón las paredes internas de los tinacos, tanques, tambos y bebederos, y mantenerlos tapados.

Secretaría de Salud

Fundación de la ciudad y la patria

Conoce nuestros valores en estos cuentos antiguos contados para ti por Rubén Bonifaz Nuño.

Otro día, los poderosos decidieron que era la hora en que nuestros antepasados debían ponerse en marcha para fundar la gran ciudad.

Nuestros antepasados estaban entonces como dormidos, y creían que soñaban.

A ese como sueño, los poderosos enviaron a nuestros antepasados un pájaro que en su canto parecía decirles: "Ya vámonos".

Pero nuestros antepasados, por pereza o por miedo de las fatigas y los peligros del camino, se resistían a emprenderlo.

Entonces los poderosos, para acabar de convencerlos, les pusieron ante los ojos la imagen de la gloria que los esperaba.

Y nuestros antepasados vieron entonces una laguna como formada de transparentes piedras azules y verdes que temblaban en la luz.

Y vieron que del centro de esa laguna crecía una roca negra y luciente como una noche con estrellas, y de esta roca crecía un nopal, sobre el cual se posaba un águila.

Esta águila era como el sol, y en su pico y una de sus garras sostenía una serpiente que era a la vez de agua y de fuego. Después, nuestros antepasados vieron en el cielo una ciudad levantada sobre el agua, unida a la tierra por cuatro calzadas y rica de altas pirámides escalonadas y palacios y casas de todos colores, y allí se paseaban barcas de oro y plata y mucha gente adornada de piedras y plumas preciosas.

Nuestros antepasados supieron que esa gente eran sus nietos y sus bisnietos, y en ese momento comprendieron que ellos debían hacer bajar del cielo esa ciudad, y ponerla en el lugar donde habían visto el águila sobre el nopal y la roca, a fin de que esa ciudad fuera como los puntales que sostuvieran el mismo cielo, que por un momento se había quedado vacío.

Entonces nuestros antepasados volvieron a oír el canto del pájaro que les decía: "Ya vámonos", y despertaron y juntaron sus cosas, pensando en su patria futura, y se pusieron en camino.

Este cuento les era contado a niños y niñas de antes, para que aprendieran a amar a su ciudad y se sintieran orgullosos de ella, y amaran también a la patria que de allí habría de nacer.

Como esa patria es también la tuya, tú debes sentir ese mismo amor y ese orgullo.

Rubén Bonifaz Nuño
Cuentos de los abuelos

El Escudo Nacional

En esta lámina se representa
la fundación de Tenochtitlán:

*Los trazos azules recuerdan
los canales de la ciudad.*

Hay diez hombres sentados.
Sabemos que son jefes porque
están sentados sobre un
petate.

*Debajo de la piedra apreciamos
el escudo de Tenochtitlán.*
Los siete puntos
representan las cuevas
de Chicomoztoc, el lugar de
origen de los aztecas.
Las flechas están firmes en señal
de triunfo. Fíjate que el águila no
tiene serpiente en el pico.

Esta imagen es un antecedente
—existen varios en las culturas
prehispánicas— de nuestro
moderno escudo nacional.

Códice mendocino (siglo XVI)

La historia

La historia es útil y provechosa. Nos sirve
para saber qué problemas enfrentamos
en el pasado y cómo se resolvieron; para
advertir sobre qué errores no debemos
volver a cometer, y conocer a qué héroe
—hombre o mujer— imitar.

La historia sirve también para darnos
confianza, pues sólo al conocer los
problemas que hemos enfrentado en el
pasado y cómo los superamos, podemos
llegar a la conclusión de que podemos
superar nuestros desafíos presentes
y futuros.

Javier Garciadiego Dantán
El Colegio de México

Para hacer

Mi diario

No queremos que se nos olviden los sucesos de cada día que son importantes. Por eso escribimos en nuestro diario pequeños y grandes detalles que nos provocaron alegría, asombro, tristeza o curiosidad.

En tu diario puedes escribir lo que te ha pasado en tu casa o escuela o, si lo prefieres, puedes hacer un dibujo o pegar una estampa o foto que te guste. Verás que al escribir acerca de tus sentimientos tendrás más claridad sobre lo que te interesa. Escribiendo te conoces mejor y desarrollas la capacidad de expresarte.

No importa si eres niño o niña, el escribir en el diario lo que te preocupa, te hace feliz, o planeas hacer, te ayuda a recordar cosas importantes en tu vida. Lo que escribes es privado, personal y nadie tiene que leerlo si tú no lo deseas.

Escribe tu diario en un cuaderno de reúso. Fórralo del color que quieras, puedes hacerlo con recortes de revistas, estampas, tela o con lo que se te ocurra. Lo importante es que sea un espacio de expresión para ti.

Martes 16 de enero

Hola querido diario:

Hoy estoy muy contenta porque mis hermanas y yo estuvimos jugando futbol y metí muchos goles. Al principio iba perdiendo pero después me recuperé y anoté un tiro de esquina.

Me gusta mucho el futbol y pienso dedicarme profesionalmente a este deporte cuando sea mayor. Hasta la próxima, diario.

Itzel

Decidir

Para actuar es conveniente reflexionar acerca de lo que se debe hacer. Tú puedes tomar algunas decisiones de manera personal, sobre todo en aquellos asuntos que te afectan o son de tu interés y pueden ocurrir en cualquier momento.

Por ejemplo, si en el patio de la escuela algunos compañeros molestan a otro, tú puedes elegir qué hacer. Tienes varias alternativas:

- Formar parte del grupo que molesta.
- Fingir que no ves lo que está pasando.
- Defender a tu compañero.
- Avisar a las autoridades de tu escuela lo que está sucediendo.

Cada decisión tiene, para ti y para los demás, consecuencias. Piensa qué pasaría en cada caso, y elige la alternativa que consideres la mejor para todos, y más conforme con los valores de respeto, solidaridad, justicia, responsabilidad y otros igualmente importantes.

¿Qué decidieron hacer?

Juegos y actividades

¡Estoy creciendo!

Escribe cómo eras el año pasado en los aspectos que se mencionan y cómo eres ahora. Pregunta a tu mamá y a tu papá o a otros familiares lo que no recuerdes.

	El año pasado	Este año
La talla de mi ropa		
Mi peso		
Lo que me gusta		
Lo que sé hacer		

Imagina que éste es tu álbum de recuerdos.

Anota en el recuadro a qué edad pudiste realizar las actividades que se observan. Pide ayuda a tus familiares mayores.

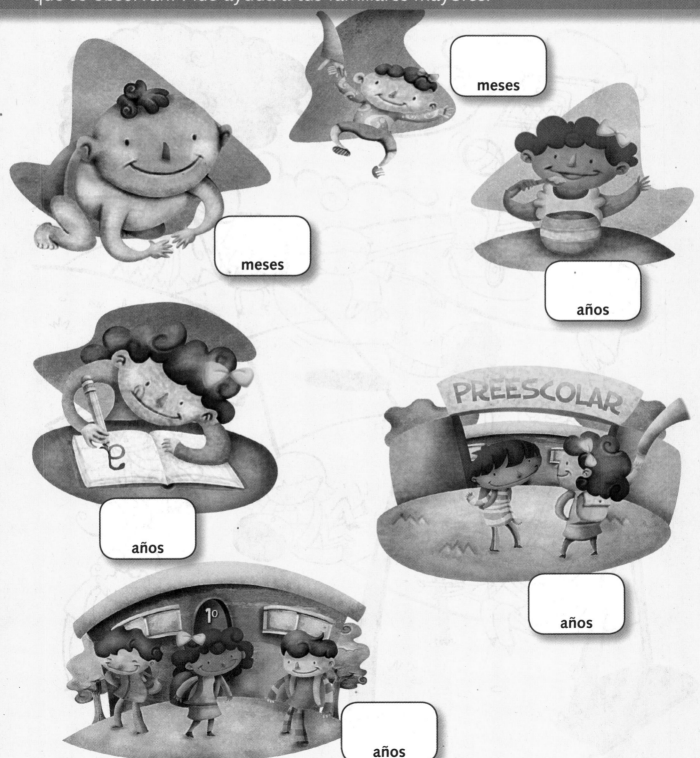

meses

meses

años

años

PREESCOLAR

años

años

Hago ejercicio físico

Colorea las actividades que favorecen el desarrollo de tu cuerpo.

Comenta los juegos que pueden provocar accidentes o daños en tu salud, y escribe un anuncio en el que invites a niños y niñas a evitar juegos peligrosos.

Dibuja o ilustra con recortes cómo te cuida tu familia.

¿Qué contiene mi golosina favorita?

Recorta y pega aquí la información nutrimental de alguna golosina que te guste mucho.

Este esquema te dice qué alimentos son necesarios para mantener y mejorar tu salud.

Con ayuda de tu familia investiga o inventa una receta para una golosina sabrosa y saludable.

Guíense con el plato de bien comer. Intercambien recetas.

Receta

Autoevaluación

¿Cómo voy?

Escoge una respuesta y colorea la pirámide

Siempre S   **Casi siempre** CS   **Casi nunca** CN   **Nunca** N

En la escuela, con mis maestros y mis compañeros

Reconozco cambios de mi cuerpo.

S   CS   CN   N

Hago más actividades sin ayuda de una persona adulta.

S   CS   CN   N

Cuando juego cuido de no dañarme.

S   CS   CN   N

Juego con niñas y niños de mi edad.

S   CS   CN   N

Trato con respeto a mis compañeras y compañeros.

S   CS   CN   N

En mi casa, en la calle y otros lugares

Consumo alimentos que benefician mi desarrollo.

S   CS   CN   N

Evito comer alimentos "chatarra".

S   CS   CN   N

Evito hablar a solas con personas desconocidas.

S   CS   CN   N

En mi tiempo libre juego con mis amigos del vecindario en lugares seguros.

S   CS   CN   N

Saludo con respeto a mis vecinos.

S   CS   CN   N

¿En qué puedo mejorar? _____

_____

_____

Mis deberes y límites

DERECHOS

Con el aprendizaje y la práctica podrás:
- Aprender a describir tus emociones y necesidades, y las de los demás.
- Vivir cada día con libertad, fijar metas y señalar el camino para alcanzarlas.
- Identificar cuándo se necesita distribuir mejor las tareas, los servicios y los bienes.

Platiquemos

Las actividades que realizas durante el día seguramente son muy variadas, porque es necesario que hagas tu tarea de la escuela, ayudes en tu casa y que juegues.

Para lograr todo eso, necesitas distribuir ordenadamente tu tiempo, pues aunque muchas de las horas que ocupas en cumplir tus deberes las definen tus padres, seguramente también hay actividades que decides hacer libremente.

Piedra del Sol o Calendario Azteca

Cuando creces aprendes, como lo hicieron tus antepasados, a medir y organizar el tiempo.

La mejor manera de ordenar tus quehaceres es hacer una lista de actividades y luego escoger cuál cumples primero y cuál después, según su importancia. Considera qué actividades realizas tú solo y en cuáles te tienen que ayudar, por eso toma en cuenta el tiempo y los deberes de los demás.

Puedes pedir a algún familiar que te ayude a ordenar tus actividades de la mejor manera para bañarte, ir a la escuela, hacer la tarea, jugar y hablar con tus amigos de lo que te ha pasado en el día.

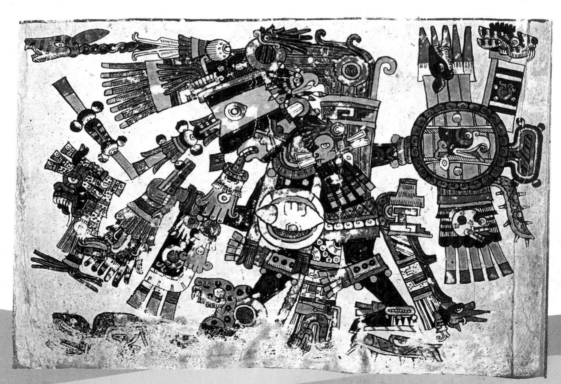

Códice Borgia

El calendario antiguo mexicano tenía 18 meses de 20 días cada uno.
En esta figura están representados los 20 días del mes.

Al contar esas labores a tus familiares, sean buenas o malas, tendrás la oportunidad de expresar tus emociones y sentimientos, tales como amor, ternura, alegría, miedo, tristeza, vergüenza, y otras. El hecho de compartirlas te ayudará a conocerte mejor, con lo cual ganarás seguridad y confianza.

Las emociones son parte de las personas. Por eso también son parte de ti. Conoces más tus emociones cuando compartes con otros los hechos de tu vida.

Es importante que aprendas a conocer tus emociones. Por ejemplo, cuando te dicen que te regalarán un juguete, seguramente te producirá alegría. La enfermedad de tu perrito seguramente te producirá tristeza. Que rompan tu cuaderno seguramente te producirá coraje y enojo.

Xóchitl, **flor**

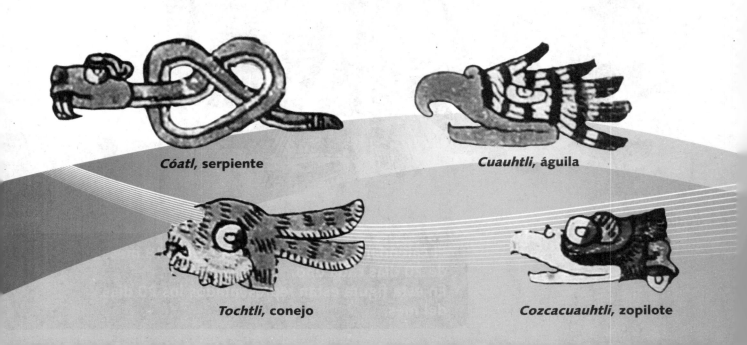

Cóatl, **serpiente**

Cuauhtli, **águila**

Tochtli, **conejo**

Cozcacuauhtli, **zopilote**

Puedes tener distintas emociones y aprender diversas maneras de expresarlas, de modo que no te lastimes ni lastimes a otros. Eres libre de expresar tus sentimientos como quieras, siempre que, con hacerlo, no molestes o dañes a los otros.

Para no lastimar a otros debes dominar tus deseos de hacerles algún mal, o desquitarte de alguno que creas te hayan hecho a ti. Cuando sientas que algo te molesta, tranquilízate para encontrar la manera de remediarlo.

Ollin, **movimiento**

Compartir en tu casa con tu familia los hechos de tu vida; en la escuela con tus maestros y tus compañeros; en el parque, en la calle, en la biblioteca con las personas que ahí se encuentran, te ayudará a conocerte y a conocer a los demás. Serás capaz de ponerte en su lugar, y

Malinalli, **hierba**

Quiáhuitl, **lluvia**

Mázatl, **venado**

Cuetzpallin, **lagartija**

comprenderlos. Así aprendes a confiar en los otros, a disfrutar de su compañía y a colaborar con ellos para lograr metas comunes.

Corrígete siempre que sepas que has hecho mal lo que te han encargado o lo que te has propuesto tú mismo. Así serás mejor de lo que has sido.

De entre tus deberes escoge, para cumplirlo, primero el que te parezca mejor para ti en relación con los demás. Escoge también el modo en que lo cumplirás. Por ejemplo: debes llegar puntualmente a la escuela. Para eso, harás a tiempo la tarea, pondrás tu ropa y tus cosas listas desde el día anterior, y en la mañana te levantarás temprano. Organizar tus deberes te hará más productivo.

Calli, casa

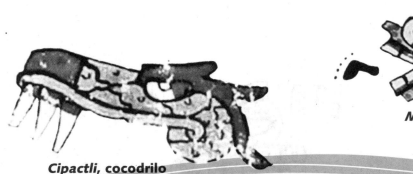

Cipactli, cocodrilo

Miquiztli, muerte

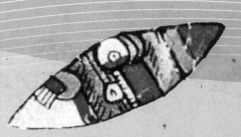

Técpatl, cuchillo de pedernal

Océlotl, ocelote

Tu libertad debe servirte para escoger siempre las cosas mejores y proponerte, de acuerdo con los demás, la obligación de cumplirlas.

Tu familia es, como todas las familias, la raíz de la unidad y la grandeza del país en que vives.

Si te has propuesto hacer posible siempre lo mejor y unirte con tus parientes en el mismo propósito, procurarás que otras familias se lo propongan igualmente. Si esto llegara suceder tu país, nuestro país, sería más feliz porque sería más justo.

Ácatl, caña

Ehécatl, viento

Ozomatli, mono

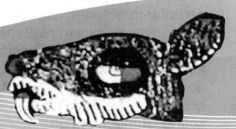

Itzcuintli, perro

Atl, agua

Abecedario japonés · Abecedario portugués · Abecedario mexicano

Para reflexionar:

¿Cómo crees que los niños sordos se sienten cuando no entienden lo que les dicen?

Si tú fueras sordo, ¿no te gustaría que tus compañeros de escuela te respetaran y ayudaran a entender lo que no escuchas?

¿Por qué es importante que entiendas, ayudes y respetes a las personas sordas?

Toma en cuenta que…

1. Si tienes un compañero sordo o que escucha poco, no deberás hablarle de espalda ni de lado.

2. Si tu compañero no escucha nada, no hables ni te rías sin asegurarte de que entendió lo que dijiste. Esto es para que tu compañero no crea que te estás riendo de él.

3. Si hablas más fuerte o gritas, tu compañero sordo no logrará entender lo que dijiste, únicamente escuchará un ruido fuerte.

Personas con discapacidad auditiva

En todo el mundo hay personas que no escuchan bien, algunas escuchan poco y otras nada. Esto depende de su pérdida de audición; es decir, de qué tan grave es su problema en el oído.

¿Sabías que los niños que no escuchan se pueden comunicar con las manos? A esta forma de comunicación se le llama Lengua de Señas Mexicana (LSM) y es como cualquier otro idioma, sólo que en la LSM se utilizan las manos, el cuerpo y los gestos.

¿Sabías que la lengua de señas de cada país es diferente?

Observa el esquema.

¡Conoce tus emociones!

• Cuando algo te enoje, antes de actuar… ¡piensa!
• Valora los efectos que tus acciones y palabras tienen en otras personas.
• Exige el respeto que mereces y otorga respeto a los demás.
• Si tus emociones te hacen sentir mal o enfermo, platica con alguien de tu confianza acerca de lo que te ocurre y lo que sientes.

¿Sabes lo que significa la palabra "ahorro"?

Ahorrar significa guardar para prevenir necesidades futuras.

El agua, previendo que tú o los demás la necesitarán después; comida, cuando no te sirves en exceso ni desperdicias la que te sirven; dinero, cuando no gastas más de lo necesario, no pides lo que no necesitas, o tratas de guardar aunque sea un poquito del que tienes. Cuando ahorras, ayudas a tu familia y a conservar el ambiente.

¿Sabes que estás en la infancia?

La infancia es el periodo de la vida que comprende desde el nacimiento hasta los nueve años de edad. Debe ser una etapa segura, en la cual niños y niñas puedan crecer, jugar y desarrollarse. Por eso es importante que te diviertas y juegues. ¡Disfrútala!

Secretaría de Salud

Para cuidar tu salud y disponer bien de tu tiempo libre

Para cuidar tu salud, y disfrutar tu tiempo libre, puedes realizar alguna actividad física.

La actividad física se define como cualquier movimiento corporal que requiere el gasto de energía que se almacena en el organismo, por ejemplo: correr, caminar, trotar, brincar la cuerda, jugar futbol y bailar, entre otros.

Cuando esta actividad es planeada y sistematizada se conoce como deporte: gimnasia, danza, natación, ciclismo y otros.

Los deportes son ejercicios físicos que se presentan en forma de juegos individuales o colectivos, practicados bajo ciertas reglas, las cuales definen las características de la actividad y su desarrollo.

Disfruta con tus amigos, platica y realiza actividades divertidas con tus papás.

Secretaría de Salud

México te necesita

¿Cómo puedes cooperar? Al ayudar en las tareas de tu hogar, al cumplir con tus trabajos en la escuela, limpiando y ordenando tu habitación y tu salón de clases. Si ayudas a tu familia, a tus compañeros y profesores en las actividades que te benefician y son provechosas para otros, desde ahora serás productivo.

Secretaría del Trabajo y Previsión Social.
Productividad laboral

Este antiguo poema náhuatl es anónimo y fue traducido al español por Ángel María Garibay. Si lo lees con atención, sabrás que somos los herederos del saber de los toltecas.

La edad de oro tolteca
(fragmento)

Los toltecas, el pueblo de Quetzalcóatl,
eran muy experimentados.

Nada les era difícil de hacer.
Cortaban las piedras preciosas,
trabajaban el oro,
y hacían toda clase de obras de arte
y maravillosos trabajos de pluma.

En verdad eran experimentados.
El conjunto de las artes de los toltecas,
su sabiduría, todo procedía de
Quetzalcóatl.

Los toltecas eran muy ricos,
no tenían precio los víveres, nuestro
sustento.
Dicen que las calabazas
eran grandes y gruesas.
Que las mazorcas de maíz
eran tan grandes y gruesas

como la mano de un metate.
Y las matas de bledos,
semejantes a las palmas,
a las cuales se podía subir,
se podía trepar en ellas.

También se producía el algodón
de muchos colores:
rojo, amarillo, rosado,
morado, verde, verde azulado,
azul, verde claro,
amarillo rojizo, moreno y aleonado.

Todos estos colores los tenía ya de por sí,
así nacía de la tierra,
nadie lo pintaba.

Y estos toltecas eran muy ricos;
eran muy felices;
nunca tenían pobreza o tristeza.
Nada faltaba en sus casas,
nunca había hambre entre ellos.

Bajo relieve de los jaguares, Tula, Hidalgo

Artista indígena

Un hombre color de tierra trabaja: hace grecas y flores sobre un ánfora de barro cocido.

Me creo ante un milagro; y pienso que la tierra misma, a través de este montoncito de polvo que es el hombre, es la creadora de las flores del jarrón.

Josefina Zendejas
Lecturas para mujeres
(fragmento)

Pintores nahuas del Alto Balsas, ganadores del Premio Nacional de Ciencias y Artes 2007

Artesanos del labrado en madera y modelado en barro

El desarrollo de los pueblos indígenas

Descendientes de los primeros pobladores y dueños del territorio de lo que hoy es nuestro país, las comunidades indígenas han padecido injusticias que las mantienen en difíciles condiciones de vida.

Hombres, mujeres y niños de dichas comunidades carecen de diversos bienes y servicios.

Sin embargo, como mexicanos, ellos tienen pleno derecho a su desarrollo y bienestar, en el sentido que definan por sí mismos.

Podrían salir adelante con el apoyo de todos.

Quienes hemos tenido mayores oportunidades, estamos más obligados a lograr que haya en México condiciones de equidad y justicia.

En este tema tú, estudiante, puedes hacer algo. Y puedes hacerlo desde ahora.

Por ejemplo, teniendo mayor respeto por la cultura, la vestimenta, la lengua y las creencias de los diferentes pueblos indígenas, que deben ser nuestro orgullo, porque forman parte de la riqueza y la diversidad cultural que nos distingue en el mundo.

Recordemos que es importante saber vivir en colectividad, con el respeto que nos debemos unos a otros, ya que así podemos ayudar a hacer de nuestro lugar un hogar común, más amable para todos.

Luis H. Álvarez
Comisión para el Desarrollo
de los Pueblos Indígenas

Francisco Coronel Navarro, ganador del Premio Nacional de Ciencias y Artes 2007

El poder de la palabra

Hola, niño o niña:

Veo con gusto cuánto has crecido. Sí, yo soy el mismo Marco Tulio, tu profesor DEL ARTE DE HABLAR PARA CONVENCER. Hoy te voy a enseñar a que hagas un discurso chiquito, muy sencillo.

Cuando estés comiendo con tu familia, quiero que te pongas de pie, o que levantes una mano, y con voz alta, pero sin gritar, digas esto:

> *¡Hey familia! ¡Tía Chela! ¡Todos!*

Cuando vean que levantaste la mano, o que te pusiste de pie, y que hablaste en voz alta, todos se asombrarán mucho, porque eso no es normal.

Poniéndote de pie, o levantando la mano, cuando hay varias personas reunidas, te vas a divertir mucho. Es como un juego que se atreven a jugar solamente los niños valientes de la primaria, como tú.

Fíjate bien en la cara que ponen los que te oyen. Vas a sentir algo así como si con los ojos te dijeran: "¿Y éste, qué se trae?" o "Y tú, ¿qué traes?" Están asombrados. Te pusieron atención. Quieren que hables.

Déjalos un momento en suspenso. Seis segundos. Respira profundamente hasta el ombligo, y después de sacar el aire diles:

> *Tengo algo importante que proponerles.*

Vuelve a guardar silencio. Todos te prestarán atención. Si ves que a alguien no le interesa oírte, fíjate bien quién es. Podría ser Samuel, a quien le hiciste una broma de mal gusto, u Ofe, que piensa que por tu culpa no la quieren, porque a ti sí te dieron dinero y a ella no. Para que te escuchen también ellos, necesitas ser valiente: aceptar que cometiste un error, por ejemplo: diles a todos ahí mismo, e igualmente en voz alta, que sientes mucho la broma que le hiciste a Samuel, y que te duele mucho haber perdido el dinero con que ibas a comprar el regalo para Ofe. Todo esto debe ser verdadero. Ninguna mentira. Entonces así quedarían tus palabras:

Tengo algo importante que proponerles. Pero antes debo decirle a Samuel que siento mucho la broma que le hice.
O de este otro modo:
Tengo algo importante que proponerles. Pero antes debo decirles que siento mucho haber perdido el dinero para el regalo de Ofe.
O de este otro modo:
Tengo algo importante que proponerles. Pero antes debo decirles que siento mucho la broma que le hice a Samuel, y sobre todo haber perdido el dinero para el regalo de Ofe.

Otra vez fíjate en sus ojos, y vas a ver que es como si te preguntaran: "¿Y qué es lo que propones?" Cuando sientas eso, diles lo que quieras, por ejemplo:

Quiero que este domingo vayamos todos juntos a comer al campo.

Luego di por qué es importante para ti que el domingo vayan juntos a comer al campo. Por ejemplo:

Tengo ganas de salir de la casa, para no escuchar todo el día la misma música del vecino.

Otras razones pueden ser éstas: para jugar a la pelota en el cerro, o para tomar aire libre, o simplemente para conocer ese lugar del cual te han hablado tanto. De este modo, te quedará un discursito más o menos así:

¡Hey familia! ¡Tía Chela! ¡Todos! [Seis segundos de silencio.] *Tengo algo importante que proponerles.* [Seis segundos de silencio.] *Pero antes debo decirles que siento mucho la broma que le hice a Samuel, y sobre todo haber perdido el dinero para el regalo de Ofe.* [Seis segundos de silencio.] *Lo que quiero proponer es que este domingo salgamos todos juntos a comer al campo. Creo que sería bueno salir de la casa alguna vez, y conocer un lugar del cual me ha hablado mucho mi amiga Luz.* [Seis segundos de silencio.] *Eso era todo.*

Amiguito, o amiguita: Siempre te voy a insistir en que lo que digas sea la verdad. La mentira tarde o temprano se conoce, y trae problemas. Pero hoy, fue importante que aprendieras a llamar la atención de las personas, y a ser valiente al aceptar delante de todos que cometiste algún error, a causa del cual hay algunos que no quieran oírte. Así podrás decir lo que quieras.

Mis emociones son importantes

Lee el siguiente caso y observa las ilustraciones.

En equipo de trabajo, Juan, Eva, Fernando y Paula hicieron en la escuela una maqueta de los animales que hay en su entidad federativa. Obtuvieron información en los libros de la biblioteca. Trabajaron mucho tiempo, por lo que les quedó bien hecha. Al terminar, acordaron que Juan se la llevaría a su casa, y la regresaría al día siguiente.

¿Qué pasó después de que terminaron la maqueta?
Observa las ilustraciones.

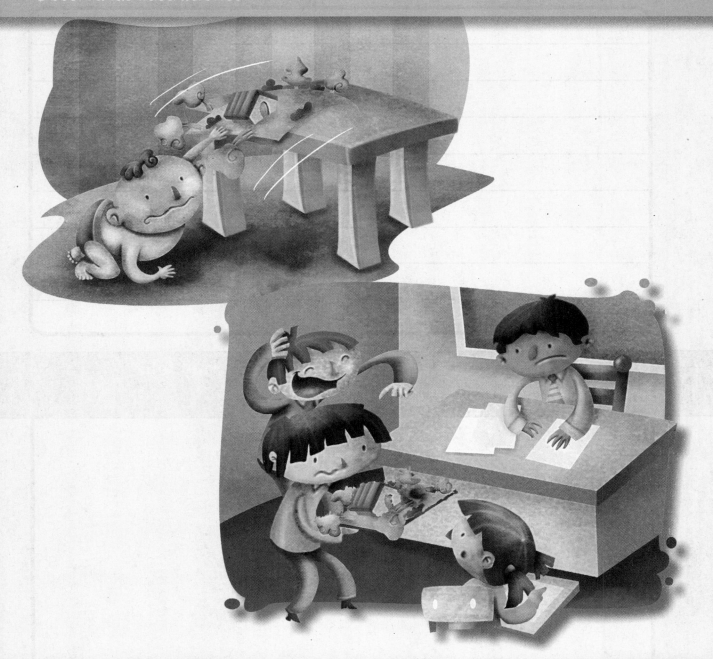

¿Qué podrían hacer para solucionar su problema?
¿Con quiénes te identificas? ¿Por qué?
¿Alguna vez has pasado por un problema similar?
¿Cómo te sentiste?

Elige a uno de los niños del ejemplo anterior y escríbele un mensaje de acuerdo con las emociones que tenga. Recuerda ser respetuoso.

Dibuja una actividad en la que hayas estado muy feliz con tus amigos y amigas.

Completa lo que se te pide en cada caso, y haz un dibujo.

Me siento alegre si _____

_____

_____

Me siento triste cuando _____

_____

_____

Siento confianza y seguridad si _____

_____

_____

Cuando siento enojo, yo: _____

_____

_____

Necesidades básicas de la familia

Identifica y escribe sobre la línea las necesidades de tu familia.
Guíate por las palabras del recuadro.

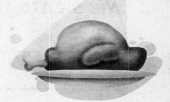

Servicios médicos
Información
Alimento
Transporte
Vivienda
Recreación
Amor y cariño
Seguridad
Ropa
Ambiente sano

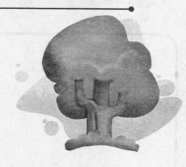

Me esfuerzo por ser mejor persona

En equipos investiguen la biografía de uno de los siguientes personajes para saber por qué se les reconoce como mujeres u hombres destacados, y cuáles fueron las cualidades o valores que los distinguieron.

Cuauhtémoc

Cualidades:

_____

_____

_____

Sor Juana Inés de la Cruz

Cualidades:

_____

_____

_____

Benito Juárez

Cualidades:

_____

_____

_____

Carmen Serdán

Cualidades:

_____

_____

_____

Tú puedes desarrollar algunas cualidades que aprecias de los héroes y las heroínas de tu país.

Decido en qué quiero mejorar:

_____

_____

_____

Reflexiono sobre qué quiero lograr:

_____

_____

_____

Para lograr mi propósito voy a realizar las siguientes acciones:

_____

_____

_____

El tiempo en que voy a alcanzar las metas mencionadas es:

_____

_____

_____

Autoevaluación

Escoge una respuesta y colorea la pirámide

Siempre S   **Casi siempre** CS   **Casi nunca** CN   **Nunca** N

En la escuela, con mis maestros y mis compañeros

Distingo si estoy alegre, triste o enojado.

Reconozco si mis compañeros están alegres, tristes o enojados.

Evito dañar a los demás cuando estoy triste o enojado.

Decido cambiar mi conducta y actitud cuando necesito mejorar algo.

Participo en actividades escolares.

En mi casa, en la calle y otros lugares

Expreso mis sentimientos sin gritar y sin cometer agresión contra nadie.

Organizo mi tiempo para ayudar en las labores de casa, hacer mi tarea y jugar.

Escucho con atención cuando alguien me platica lo que le pasa.

Participo en los planes de mi familia.

Aprecio a las personas que ayudan a mi familia y a la gente de mi localidad.

¿En qué puedo mejorar?

Todos necesitamos
de todos

Con el aprendizaje y la práctica podrás:
• Comprender que todos necesitamos de otros y que lo que hagamos afecta a los demás.
• Aprender a respetar las ideas, creencias y formas de vida similares o diferentes de las tuyas, y a cuidar el ambiente.

Platiquemos

Nuestra vida en sociedad es posible porque en ella hay trabajo y colaboración. Cada persona aporta su esfuerzo a tareas colectivas, al tiempo que se beneficia de la labor de otros.

Los niños y las niñas necesitan del cuidado de su familia, pero también del esfuerzo de toda la sociedad. Para empezar, requieren del trabajo de campesinos para tener alimentos frescos y sanos; de quienes preparan alimentos básicos como las tortillas y el pan; de personas que producen y venden productos de primera necesidad en todos los rincones de nuestro país.

Piensa en el transporte, las carreteras, el petróleo y la gasolina, y en quienes trabajan para que tengas todo eso.

La sociedad requiere también de personas que se dediquen a construir casas, edificios, hospitales, escuelas, carreteras y puentes. Arquitectos, ingenieros, albañiles, plomeros, herreros, y muchas personas más, trabajan para que

La diversidad es riqueza.
Por ejemplo, el maíz es fuente
de riqueza natural y cultural.

tengas lugares donde vivir, recibir atención médica, jugar y educarte. Piensa en cuántas personas han contribuido para crear, mantener y mejorar lo que te rodea.

Todo trabajo es valioso, por lo que es necesario reconocer el que hacen las mujeres y los hombres que aportan su talento y su esfuerzo a la sociedad.

Cada persona puede elegir libremente a qué trabajo dedicarse y recibir un salario por ello. Su trabajo debe aportar algo positivo a los otros y respetar las leyes del país.

Las personas adultas tienen derecho a tener un trabajo digno; es decir, que no dañe a los demás ni a sí mismas, y que no los denigre u ofenda. Los niños y las niñas no deben trabajar más que en condiciones que no los pongan en riesgo. Lo justo es que ningún niño trabaje.

Si el modo de ganarse la vida de algún adulto no respeta las leyes o los derechos de las personas, se ocasionan daños

En México existen distintas variedades de maíz: olotón, olotillo, elote occidental, conejo, mixteco negro y mixteco, entre otros.

El teocintle, una especie primitiva de maíz, es vestigio de la domesticación de esta planta en México.

profundos a la sociedad. Ese adulto pierde su oportunidad de servir a los demás, desperdicia su inteligencia, atenta contra su dignidad y la de los demás, y debe afrontar las consecuencias de su infracción o delito.

Algunas personas tratan injustamente a quienes trabajan en oficios que consideran inferiores. Otras personas piensan que el valor de los seres humanos depende de lo que ganan como salario, del lugar en que nacieron o de su apariencia. Otras buscan aprovecharse de quienes han tenido menos oportunidades de salir adelante. Todas ellas están equivocadas y son injustas.

No hay razón para que una persona sea tratada sin justicia, con desprecio o violencia. Para evitarlo, es necesario que cada integrante de la sociedad reconozca el valor y los derechos de todas las personas. Cada uno tiene el derecho

Al norte de nuestro país se cultiva un maíz llamado azul.

Con cada tipo se preparan distintos platillos: el huitlacoche, que es el hongo del maíz, se come en quesadillas o con arroz.

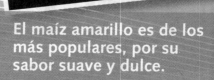

El maíz amarillo es de los más populares, por su sabor suave y dulce.

a vivir con bienestar, dignamente y con reconocimiento a la labor que desempeña.

Para tener una sociedad con justicia, igualdad y solidaridad, como niño debes empezar por apreciar a toda la gente y brindarle respeto.

El respeto debe tomar en cuenta la diversidad que caracteriza a los seres humanos. Cada uno merece ser valorado y respetado, al mismo tiempo que le debe reconocimiento y respeto a las otras personas. Esto favorece que vivamos en paz y con mayor justicia.

Formas parte de una gran nación plurilingüe y pluricultural; es decir, las personas pueden hablar distintas lenguas y tener diferentes costumbres y tradiciones.

Se requiere trabajo humano para plantar y preparar el maíz para su consumo.

El trabajo honesto y la colaboración son importantes para el bienestar social.

Seguramente en el lugar donde vives se celebran coloridas fiestas en las que se muestra el orgullo por lo que los hace, a la vez, iguales y diferentes a los demás.

La diversidad cultural se ve en gran cantidad de fiestas, tradiciones, música, comida, bailes y trajes típicos que caracterizan a cada región de nuestro territorio.

Seguramente has visto bailar el Jarabe Tapatío y la Danza de los Viejitos; has disfrutado la música norteña y la marimba chiapaneca; o has escuchado o hablas alguna lengua indígena. Toda esta diversidad es una gran riqueza.

La variedad de rasgos culturales es parte de la vida de las mexicanas y los mexicanos, quienes en la vida diaria los hemos hecho perdurar por mucho tiempo, porque los seres humanos defendemos nuestra manera de ser y de expresar nuestras tradiciones y nuestra historia.

La igualdad significa unidad. Las diferencias de rasgos culturales no representa que estemos separados o con

El maíz es importante en la cadena alimenticia. Todas sus partes se aprovechan.

derechos distintos, o que no haya posibilidad de colaborar y llevarse bien. Las diferencias culturales son fuente de riqueza humana para nosotros.

Además de su diversidad cultural, México es de los países del mundo que posee una mayor diversidad de paisajes naturales. Así como tenemos grandes costas y playas, también tenemos hermosos bosques, selvas y montañas en las que se encuentra gran variedad de minerales, animales y plantas.

Es tarea de cada uno ayudar a conservar los recursos naturales del lugar donde vive, y aprovecharlos adecuadamente, pues la sociedad depende de ellos para cubrir sus necesidades básicas.

Cada uno puede evitar el desperdicio de alimentos, papel, ropa, agua o energía. Tu manera de vivir, de trabajar y de divertirte contribuye a proteger o destruir esos recursos y el ambiente.

Monolito azteca

El maíz es una planta originaria de América. Desde nuestros orígenes, ha sido base de nuestra alimentación.

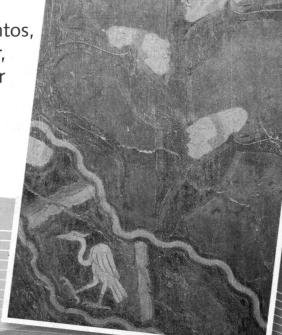

Mural de Cacaxtla

Los antiguos mexicanos se representaron como hombres del maíz en este mural de Cacaxtla, Tlaxcala.

Para aprender más

La diversidad de escuelas:

- En México hay alrededor de 15 millones de alumnos como tú que diariamente acuden a estudiar a la escuela primaria.
- En casi cien mil escuelas como la tuya y en otros servicios educativos que hay en el campo, más de medio millón de maestros dan clase.
- No todas las escuelas primarias son iguales: las de la ciudad y el campo tienen algunas diferencias, por el lugar en el que se encuentran.
- A algunas escuelas se les conoce como "generales" porque ofrecen los seis años y atienden a estudiantes de las ciudades. Hay otras, que también ofrecen los seis años, pero en las que asisten los niños de familias indígenas, en sus propias lenguas y en español.
- Igualmente hay cursos comunitarios, donde estudian los niños que viven en pequeñas comunidades muy lejanas y aisladas.

La idea es que en lugares diferentes haya escuelas que den educación adecuada a todos los niños de nuestro país.

Hoy, después de grandes esfuerzos a lo largo de muchos años, logramos que todos los niños asistan a la escuela y esto es por ti, porque queremos que estudies y cada día seas mejor.

Unidad de Planeación y Evaluación de Políticas Educativas

Lenguas indígenas

Un elemento muy importante que distingue a los pueblos del mundo y les da identidad es la lengua con la que se comunican.

En México, según el Instituto Nacional de Estadística y Geografía, 6 de cada 100 personas (de 5 años y mayores) hablan alguna lengua indígena mexicana. El náhuatl, el maya y el zapoteco son las lenguas indígenas más habladas. En todas estas lenguas hay un término para nombrar al maíz.

Maíz se dice de muchas maneras:

ixim	en cho'ol
ajan	en tsotsil
øjksi	en zoque
ajan	en qato'k
ixim	en tseltal
i'iy	en kakchikeles
tsíri	en purépecha
centli	en náhuatl
ixim	en maya
dëtha	en otomí
nuni	en mixteco
trjöö	en mazahua

Instituto Nacional de Lenguas Indígenas

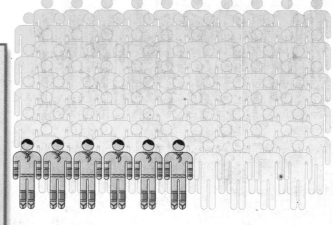

El maíz y sus variedades

De entre todas las plantas ligadas a nuestras tradiciones o a la dieta diaria destaca una muy especial: el maíz. México se considera su lugar de origen. Además, es uno de los países del mundo donde hay más variedades de esta planta. Seguramente habrás notado la enorme diversidad de elotes, tanto en tamaño como en color, que nuestro pueblo usa como alimento. Se calcula que son entre 41 y 59 variedades.

Los vestigios más antiguos del cultivo de esta planta en nuestro país tienen alrededor de siete mil años. Su presencia sigue siendo fundamental para la dieta y la cultura de nuestras civilizaciones.

Actualmente no hay ningún país en América que no siembre maíz, el cual es conocido con diferentes nombres, como maíz, choclo, jojoto, corn y milho, entre otros.

Secretaría de Medio Ambiente y Recursos Naturales

Calendario cívico

Las celebraciones cívicas nos unen en el recuerdo de hechos importantes para nuestro pueblo.

La conquista del maíz

En una ocasión, los poderosos estaban muy preocupados porque veían que las gentes no encontraban nada de comida que les gustara y les hiciera provecho.

Entonces escogieron a un hombre bueno y muy listo para que les consiguiera de comer, y le dieron fuerzas mágicas y el poder de convertirse en lo que él quisiera.

El hombre escogido se sentó en el campo a pensar en lo que haría, y al mirar al suelo advirtió una fila de hormigas rojas que se dirigían a su hormiguero.

Cada una de esas hormigas rojas llevaba en la boca un grano de maíz, que parecía alimenticio y sabroso.

Él, para enterarse de dónde los habían tomado, decidió hacerse amigo de las hormigas rojas, y para conseguirlo se convirtió en hormiga negra, y bajó a platicar con ellas.

Allí le contaron que habían tomado el maíz de un monte donde se daban las cosas de comer, que no estaba lejos, pero estaba prohibido.

Hay cosas, como el aire y la luz, que les pertenecen a todos
por igual.

Aquel hombre pensó que el maíz debía ser de todos, como la luz
y el aire, y a pesar de que estaba prohibido, fue a tomarlo del monte
que le indicaron las hormigas rojas.

De allí lo tomó y se lo llevó luego a los poderosos; éstos lo
recibieron, lo cocieron, molieron la masa así formada y la pusieron
en la boca de las gentes, que sintieron gusto y fuerza al comerla.

Cuando nuestros antepasados les contaban este cuento, las niñas y
los niños de antes aprendían que toda la gente, por pobre que fuera,
debía tener algunas tortillas para comer, lo mismo que tenía luz para
ver y aire para respirar.

Eso debes saberlo también tú, y también debes compartir tu comida
con quienes, por ser más pobres que tú, no la tienen.

Rubén Bonifaz Nuño
Cuentos de los abuelos

Para hacer

Fichero escolar

Para no olvidar o perder la información que obtienes al investigar, escríbela de manera ordenada en tarjetas. Estas notas de investigación se llaman fichas, y el lugar para guardarlas es el fichero.

Puedes hacer tu fichero en una caja de zapatos.

Aprenderás más si haces un fichero común con tus compañeros. En él, cada uno puede guardar las notas de lo que va investigando, y juntos pueden revisarlas, platicar y preguntarse.

El fichero escolar se guarda en la escuela. Es de todos, pues entre todos lo hacen. Es un bien común. Mientras más información tenga, más útil y divertido será consultarlo. Por eso vale la pena trabajar y cuidarlo. Cuando el curso escolar se termine, pueden dejarlo en la escuela para que lo consulten otros niños.

EL DELFÍN

Comprensión y reflexión crítica

Tirar la basura en el suelo, dejarla sobre las bancas, en el baño, el patio o cualquier otra parte, menos en el basurero, ensucia el salón de clases y la escuela, y puede originar enfermedades y fauna nociva, pues la basura acumulada produce focos de infección. ¿Puedes hacer algo para evitarlo? Si reflexionas verás que sí. Pero antes, debes saber qué es reflexionar.

> Reflexionar es pensar acerca de un problema o asunto para descubrir cómo es, por qué ocurre, e imaginar alternativas para darle solución. Es detenerse a pensar algo con el fin de comprenderlo.

Para reflexionar te haces preguntas. Por ejemplo, te preguntas si crees que está bien o mal tirar la basura en cualquier parte.

- Cuando reflexionas también te preguntas por qué suceden los hechos, y sus posibles consecuencias. Pregúntate, por ejemplo, si tus compañeros y tú tiran la basura fuera de su lugar porque en la escuela no hay suficientes basureros o porque no saben que la basura produce focos de infección o, simplemente, por descuido y falta de cortesía hacia los demás.
- Cuando reflexionas entiendes el problema, sus motivos y posibles soluciones, como qué hacer para que haya menos basura.
- Después de reflexionar busca alguna solución, como pedir a tu maestra o a la dirección de la escuela más botes de basura, hacer un periódico mural que muestre lo mal que se ve la basura acumulada o, simplemente, escribir un cartelón que diga: "No tirar basura".

Como ya reflexionaste, con seguridad ya sabes cómo actuar. Reflexionar te ayudará a tomar mejores decisiones para solucionar tus problemas.

TIRAR LA BASURA
EN SU LUGAR
PREVIENE
ENFERMEDADES

Yo necesito de otras personas

Relaciona con una línea la ilustración correspondiente con el beneficio que te brinda cada persona, e ilumina los dibujos.

Me informa de lo que pasa en mi país y en el mundo.

Trae a mi localidad cosas que se producen en otros lugares.

Me cura cuando me enfermo, y protege mi salud.

Me ayuda a ejercitar mi cuerpo para mantenerme sano.

Me quieren, me enseñan a cuidarme y a apreciar a todas las personas.

Valoro todos los trabajos

Acompañado de una persona adulta, acude al mercado o a otros comercios de tu localidad. Pregunta a los vendedores de dónde traen los productos que venden. Registra la información en fichas e ilústralas. Explica al grupo los resultados.

Nombre del producto:

Lugar de procedencia:

Lugar donde lo compró el vendedor:

Nombre del producto:

Lugar de procedencia:

Lugar donde lo compró el vendedor:

Muchos productos que se traen de otros lugares del mundo también se producen en México. Compra lo que se hace en nuestro país, pues con ello las trabajadoras y los trabajadores mexicanos conservarán su empleo.

Diversidad en mi localidad

Investiga en tu libro y en la biblioteca acerca de los rasgos de la diversidad en México.
Describe y dibuja algunos rasgos de la diversidad cultural y natural que ves en el lugar donde vives.

Respeta a todas las personas. Recuerda que son iguales a ti en dignidad y derechos.

Dibuja distintas plantas que haya en donde vives. Usa tu cuaderno si necesitas más espacio. Investiga con tus compañeros y compañeras de equipo qué cuidados requieren.

Plantas del lugar donde vivo

Cuidados que requieren

Vivo con los demás en armonía

Tacha las imágenes que muestran conductas opuestas a la participación y el aprendizaje de todos.

Todas las personas, en algún momento, pueden tener necesidades específicas. Identifícalas y escribe por qué es importante tomarlas en cuenta.

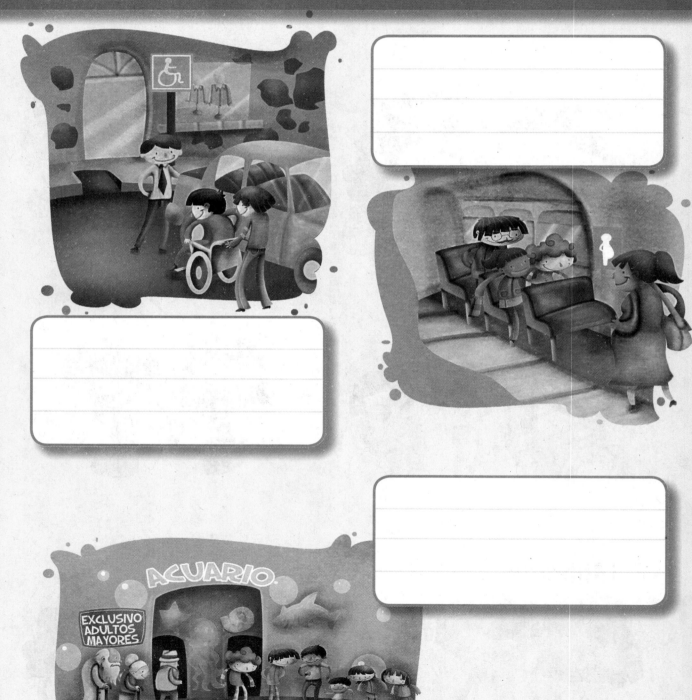

Autoevaluación

¿Cómo voy?

Escoge una respuesta y colorea la pirámide

Siempre **S**    **Casi siempre** **CS**   **Casi nunca** **CN**   **Nunca** **N**

En la escuela, con mis maestros y mis compañeros

Reconozco que muchas personas me benefician con su trabajo.

S **CS** **CN** **N**

Identifico actos en los que se discrimina a alguna persona.

S **CS** **CN** **N**

Defiendo a mis compañeras y compañeros cuando reciben trato injusto u ofensivo.

S **CS** **CN** **N**

No desperdicio agua ni comida.

S **CS** **CN** **N**

Participo en campañas para cuidar las plantas de mi escuela y del ambiente.

S **CS** **CN** **N**

En mi casa, en la calle y otros lugares

Reconozco que todos necesitamos de otros para cubrir nuestras necesidades.

S **CS** **CN** **N**

Evito utilizar palabras que ofendan o discriminen a otras personas por su origen, sexo o condición social.

S **CS** **CN** **N**

Me intereso por conocer las costumbres y tradiciones de otras localidades.

S **CS** **CN** **N**

Colaboro en la preparación de las fiestas tradicionales de mi familia.

S **CS** **CN** **N**

Participo en el cuidado de plantas y animales en mi casa o en mi localidad.

S **CS** **CN** **N**

¿En qué puedo mejorar? _____

Normas para vivir
en sociedad armónicamente

Con el aprendizaje y la práctica podrás:
- Conocer la utilidad de las normas para tener relaciones justas con los demás.
- Saber que los derechos de las niñas y los niños existen para protegerlos.
- Participar en tareas para resolver problemas en la escuela o en la familia.

Platiquemos

Los seres humanos pueden decidir entre distintas formas de vida para dar respuesta a sus necesidades básicas de salud, alimento, casa, educación, recreo y seguridad.

Al relacionarse un grupo de personas de manera que cada una pueda satisfacer sus necesidades individuales y progresar con ayuda del grupo, cada una debe apegarse a ciertas normas de conducta.

Norma es la regla que se debe seguir o a la que se deben ajustar las conductas, tareas o actividades de todos. Las normas indican lo que se puede y lo que no se puede hacer.

Detalle de murales antiguos de Bonampak, Chiapas

En México, desde tiempos remotos, la música, el canto y la danza unen a los pueblos y alegran su vida social.

La vida en sociedad se facilita cuando quienes la forman se ponen de acuerdo sobre las normas que seguirán todos. Si todos participan, se comprometen a cumplirlas y vigilar que todos los demás las cumplan. Así se promueve el bienestar general.

Es importante conocer, cumplir y hacer cumplir las normas que ordenan la vida social, así como valorarlas, pues ayudan a vivir con libertad, a no dañar a nadie y a saber cómo promover y exigir nuestros derechos.

Detalle de un mural moderno, de Diego Rivera, en el Palacio Nacional, donde se representa la ejecución de música en la antigua Tenochtitlán.

Tambor antiguo llamado huéhuetl en idioma náhuatl

En la democracia, que es la forma de vida que en México queremos tener, el respeto a las normas ayuda a lograr la convivencia respetuosa, justa, igualitaria y solidaria.

En la escuela y en la casa se puede practicar la democracia. Para hacer normas nuevas y mejorar las existentes, aprende a ponerte de acuerdo con los demás. Cuando te comuniques respeta tanto el turno como el tiempo que tiene cada uno para expresar lo que piensa. Es necesario aprender a decir lo que sientes y requieres con seguridad y libertad.

Dialogar es ponerte de acuerdo con los demás para encontrar soluciones comunes que sean buenas para todos. El diálogo democrático requiere que se escuchen todas las voces y mediante votaciones se tomen las decisiones que la mayoría elija.

Los músicos acompañaban las danzas y los cantos en las festividades y ceremonias.

Es natural que en la vida en sociedad surjan desavenencias porque las personas pueden tener metas o ideas distintas. Pero eso no debe ser motivo de burlas o de trato diferente. Si se reflexiona y si cada uno pone de su parte, se encontrará una solución justa.

Para aplicar y hacer cumplir las normas en la sociedad están las autoridades. Una autoridad es la persona responsable de aplicar y hacer cumplir las normas para facilitar la vida social y el bienestar de todos.

Existen distintos tipos de autoridades. En una familia, por ejemplo, los padres, los tutores y abuelos son autoridades, pues son responsables de aplicar y hacer cumplir las normas de la vida familiar, tales como los horarios, las costumbres y los permisos.

El teponaztle era un tambor alargado de madera.

A tu edad, y como integrante de una familia y de una escuela, tienes derechos y obligaciones. Esas obligaciones deben ser acordes con tu edad y para tu beneficio.

Es importante que conozcas los derechos de los niños. Éstos te protegen y fijan normas que la sociedad debe cumplir para que tú y todos los niños y las niñas cubran sus necesidades básicas.

Por ejemplo, tu derecho a la salud requiere, entre otras muchas cosas, que se te apliquen vacunas que te protejan de enfermedades. Para ello, las autoridades

Con la música se expresan emociones y sentimientos individuales y colectivos.

de salud producen y distribuyen vacunas. Tu familia te lleva a la clínica de salud más cercana. Y tú contribuyes disponiéndote a recibirlas sabiendo que son necesarias.

En la escuela el trabajo de las autoridades educativas es ofrecerte el servicio; tu familia es responsable de inscribirte; tú, de estudiar. Si alguna persona deja de cumplir se pone en riesgo que ejerzas el derecho que tienes a educarte.

Si cada uno hace su parte, la sociedad será más justa porque se cumplirán los derechos de todos. Así habrá más democracia.

¿Qué es la justicia?

La justicia es una de las más importantes misiones de todo gobierno.

En la escuela, la aplicación de la justicia se refiere a que maestros y alumnos observen siempre el mismo respeto con la seguridad de que nada debe afectar sus sueños, sus éxitos, sus logros, sus pertenencias, su familia, su cuerpo y su dignidad.

En otras palabras, la aplicación de la justicia es hacer que pase lo que dijimos que queríamos que pasara: que las calificaciones reflejen el esfuerzo y el talento de cada uno; que se castiguen las infracciones y las faltas de respeto; que las autoridades y maestros cumplan su trabajo y no abusen de su poder; que los alumnos cooperen entre todos; que el éxito no sea motivo de envidia ni de vergüenza; que se respete siempre el derecho a preguntar y obtener una respuesta; que nos podamos quejar y exigir que los demás observen estos principios sin miedos ni temores de ningún tipo; en suma, que tú puedas ser lo que quieres ser sin que nadie te lo impida y sin impedirlo a nadie más, en paz y en armonía con la comunidad.

Suprema Corte de Justicia de la Nación

¿Qué son las leyes?

Las leyes regulan la manera en que los seres humanos viven y trabajan juntos. Las leyes establecen los límites de lo que pueden hacer las personas e indican la forma de resolver diferencias cuando se presenta un conflicto o un problema.

Para que un sistema de leyes funcione, todos los ciudadanos tenemos que creer en ellas, respetarlas, estar seguros de que a todos nos sirven de la misma manera y que no hay favoritismos o distinciones en su aplicación.

Luis Rubio
Centro de Investigación para el Desarrollo, A. C.

Armonía

La armonía es sinónimo de belleza, de cordialidad, de acomodo y de aceptación.

Cuando una melodía está sustentada sobre una estructura armónica bien construida, sin lugar a dudas su belleza es mayor.

Igualmente, una familia será más afable y, a la vez, aligerará la carga, por pesada que ésta sea, si en ella el trato cotidiano se desarrolla con la armonía, teniendo en cuenta los puntos de vista de sus miembros.

Si un individuo encuentra armonía en lo que lo rodea, también va a procurar encontrarla en todas las acciones donde interviene ese ser que se llama semejante.

Donde hay armonía hay paz, encanto y ganas de vivir.

La armonía es el elemento más fácil de acomodar, tanto en una pareja como entre la gente. En un principio cuesta trabajo lograrla, pero es cuestión de perseguirla, a pesar de que en el tiempo actual las prisas, que son el mayor enemigo de la armonía, nos agotan la paciencia.

Para finalizar, la armonía dentro de la gente es el arte del entendimiento, y en la música es compañera indispensable de una hermosa canción.

Un día, cuando en nuestros corazones se cuele la armonía, vamos a relegar la violencia.

Bendita sea la armonía.

Armando Manzanero

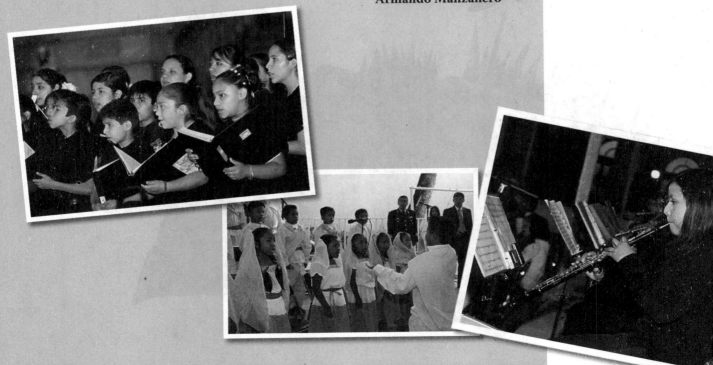

Lo útil y lo bello

Una vez, en tiempos ya muy lejanos, dos familias de nuestros antepasados, mientras se paseaban por el campo, hallaron en él dos envoltorios.

Como todos eran parientes y amigos, cada una de las familias escogió en paz uno de ellos.

Cuando la primera familia abrió el envoltorio que le había tocado, encontró dentro de él una gran esmeralda. Arrobados se quedaron mirándola, porque la esmeralda era clara y brillante como el sol en el agua, y en su interior parecían moverse muchas cosas bonitas, como árboles y pájaros y gente que se veía tranquila y dichosa; también se veían allí mares y ríos y cielos con nubes y luces de colores.

Cuando la otra familia abrió su envoltorio, halló en su interior solamente dos pedazos de palo; al principio se sintió desilusionada, y tuvo un poco de envidia del envoltorio de la otra.

Pero pronto aprendió que tallando uno con el otro los pedazos de palo, podía hacer brotar fuego, y con él, cocinar su comida y hacer cálidas hogueras alrededor de las cuales podían reunirse y sentarse a platicar y a contarse sus cosas, y ponerse así satisfechos de lo que tenían.

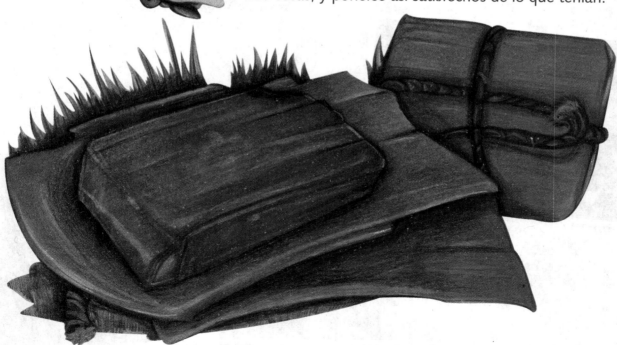

Cuando los del envoltorio de la esmeralda vieron cómo se alegraban los del envoltorio de los pedazos de palo, ellos también se reunieron alrededor de su piedra clara, y, atentos y callados, se sentaron alrededor de ella, como si platicaran y estuvieran todos de acuerdo, y también se contentaron y se conocieron mejor unos a los otros.

Dado que las dos familias eran de parientes y amigos, cuando la del envoltorio de la esmeralda quería calentarse y platicar, le pedía prestado el fuego a la del envoltorio de los dos palos, y cuando ésta quería callarse mirando algo muy bonito, le pedía prestada su esmeralda a la otra.

Así las dos familias fueron felices, disfrutando de lo que habían encontrado en los dos envoltorios.

Con este cuento que contaban nuestros antepasados, sus niños y niñas aprendían que tanto lo útil como lo bonito sirven para unir y hacer felices a las familias.

Tú, niña o niño de ahora, debes también aprenderlo.

Rubén Bonifaz Nuño
Cuentos de los abuelos

Para hacer

Análisis de circunstancias

Para entender una circunstancia, y saber cómo actuar ante ella sin ponerte en riesgo, es conveniente identificar:

• ¿Qué sucedió?

• ¿Quiénes participaron o están involucrados en ella? y pregúntate:

    – ¿Puedo intervenir?

    – ¿Cuáles serían las consecuencias de mi intervención?

    – ¿Qué puedo hacer sin arriesgar mi integridad?

    – ¿Qué sería lo mejor para mí y para todos en esa circunstancia?

Ahora sí, actúa. Toma en cuenta si las acciones deben ser inmediatas o si es mejor esperar.

Razonamiento ético

Todos los días, las personas grandes o pequeñas nos enfrentamos a circunstancias en las que tenemos que decidir entre diferentes maneras de actuar.

Algunas decisiones son fáciles de tomar. Por ejemplo, cuando piensas de qué sabor eliges un helado, la decisión dependerá de lo que se te antoje en ese momento. Tal vez hoy prefieres de limón, mañana de chocolate y otro día de fresa. Decisiones como ésta no representan problema, ni tampoco pasa nada si un día es de un sabor y luego de otro.

Sin embargo, a veces es difícil tomar una decisión porque ésta puede ocasionar un problema y perjudicar a alguien. Para elegir entre dos alternativas, de acuerdo con lo que consideras correcto o incorrecto, justo o injusto, adecuado o inadecuado, es conveniente tener en cuenta las consecuencias que puede tener para ti o para los demás. Antes de decidir, razona.

El razonamiento ético consiste en pensar las razones por las que realizarías una acción u otra. Al discutir y analizar con otras personas todas esas razones, tendrás la oportunidad de desarrollar tu juicio ético, pues te ejercitarás en este tipo de razonamiento y conocerás el punto de vista de los demás, si los escuchas.

Analicemos un ejemplo:

Supongamos que Javier, tu mejor amigo, tomó una bolsa de dulces de la cooperativa, pero están acusando de ello a Julián.

- ¿Vas a acusar a Javier o dejarás que culpen a alguien que no tuvo nada que ver?
- ¿Qué harías en el caso de Javier?
- ¿Tú qué harías en el caso de Julián? ¿Qué sería lo mejor para todos?

Comenta con tus compañeros tus respuestas.

Derechos y deberes de las niñas y los niños

Lee los siguientes ejemplos relacionados con algunos de los derechos de niñas y niños. Discute en tu equipo cómo dar solución a las situaciones problemáticas que se plantean y contesta las preguntas.

Niños y niñas tienen derecho a la protección de su salud:

Lupita ha estado enferma de la garganta, y su mamá le ha dado el tratamiento que le recetó el médico: reposo y algunas medicinas.

Cuando su mamá salió a comprarlas, Lupita se salió a jugar al patio.

¿Es correcto lo que hizo Lupita? _____ ¿Por qué? _____

_____

Ante la acción de Lupita, ¿qué debe hacer su mamá?

_____

Niñas y niños tienen derecho a recibir educación:

José es muy estudioso, pero su mamá lo va a sacar de la escuela para que cuide a su hermanita mientras ella trabaja.

¿Qué piensas de lo que le sucede a José?

_____

¿Qué se puede hacer para que José no deje de asistir a la escuela?

_____

Realiza un debate con tus compañeros y comenta:

¿Qué diferencias observas?

¿Te parece justo lo que le puede suceder a José?

¿Quiénes tienen la obligación de asegurar que niños y niñas disfruten de sus derechos?

Escribe en la segunda columna cuál es tu deber ante cada derecho que tienes.

Mis derechos	Para ejercer mi derecho, yo...
Tengo derecho a alimento.	
Tengo derecho a expresar mis ideas y necesidades.	
Tengo derecho a jugar y a crecer en un ambiente sano.	
Tengo derecho a participar y a que mis ideas sean tomadas en cuenta.	
Tengo derecho a recibir amor, comprensión y cuidado.	

Completa las frases siguientes:

Es justo que todos los niños y todas las niñas:

_____

Todas las niñas y todos los niños tenemos el mismo valor, por eso:

_____

Tomamos decisiones democráticamente

Revisa cómo son en tu escuela las siguientes prácticas y subraya la que corresponda.

LUGAR	
Las áreas verdes:	están en buen estado.
	están sucias y descuidadas.
	no hay áreas verdes.
El patio:	siempre está limpio.
	algunas partes están sucias.
	se ensucia mucho.
	hay áreas del patio que representan riesgos.
La salida:	todos salimos en orden.
	algunos niños y algunas niñas salen corriendo.
	niños y niñas tiran basura a la salida.

Entre todos, escojan uno de estos problemas.

Escribe el problema que han seleccionado más niños y niñas.
Compara tus respuestas con las de tus compañeros.

¿En qué lugar se identificaron problemas?

_____

_____

_____

En equipos propongan soluciones.

Anota las de tu equipo:

_____

_____

_____

Comparen las diferentes soluciones votando, y seleccionen una.

La que tenga más votos es la que se presentará a la Dirección de la escuela.

Registra la solución que ganó:

_____

_____

_____

¿Quiénes se encargan de hacer cumplir las normas?

Lleva a cada autoridad al lugar donde debe hacer cumplir las normas. Usa un color diferente para cada una.

Autoevaluación

¿Cómo voy?

Escoge una respuesta y colorea la pirámide

Siempre **S** · Casi siempre **CS** · Casi nunca **CN** · Nunca **N**

En la escuela, con mis maestros y mis compañeros

Cumplo las normas del salón de clase.

Escucho las opiniones de los demás sin interrumpirlos.

Respeto mi turno para hablar.

Cuando hay un problema en mi grupo, participo para decidir cómo solucionarlo.

Trato con respeto a niñas y niños de mi grupo.

Cuando alguien tiene un problema le ayudo.

En mi casa, en la calle y otros lugares

Cumplo las normas de mi familia para convivir pacíficamente.

Reconozco que para resolver problemas de mi familia se requiere la participación de todos.

Expreso mis emociones con tranquilidad.

Escucho a los demás sin descalificarlos.

Identifico a las autoridades de mi localidad.

Identifico problemas de mi localidad y me intereso por proponer acciones que las solucionen.

¿En qué puedo mejorar? _____

Construir acuerdos y dar
solución a problemas de la vida diaria

Con el aprendizaje y la práctica podrás:
- Identificar problemas de todos los días, que se dan porque la gente no se pone de acuerdo o no respeta lo acordado.
- Participar en los acuerdos tomados en grupo y rechazar la violencia.
- Participar en tu cuidado, y que esto sirva para el bien tuyo y de los demás.

Platiquemos

Vivir en sociedad implica compartir tiempo, lugares y bienes o cosas. A lo largo de tu vida tratas con personas de tu familia, escuela, de algún equipo deportivo y de tu lugar de residencia.

Aunque no las trates directamente, vives en sociedad. Tus acciones diarias pueden beneficiar o afectar a las personas que pueblan tu país y el mundo.

Al vivir en sociedad es natural que se manifiesten diferentes ideas y formas de ser y de pensar. Los seres humanos podemos coincidir en algunas cosas, pero es imposible que siempre estemos de acuerdo en todo. Esta circunstancia hace indispensable establecer acuerdos justos y solidarios, sobre todo cuando surgen problemas.

Los conocimientos de los antiguos mexicanos se expresaron en diversos campos.

Entre ellos arquitectura y urbanismo; es decir, la construcción de grandes edificios en ciudades perfectamente planeadas, como Chichen Itzá en Yucatán.

Para que la armonía de la vida social no se rompa, ni se afecte tu convivencia con tu familia, aprende a dar solución a los problemas que tengas con otras personas. Éstos resultan por algún desacuerdo entre personas, grupos o países.

Aunque frecuentemente un desacuerdo se acompaña de agresión, violencia o separación, esto no tiene por qué ser así.

Los problemas entre las personas son parte de la vida misma y son fuente de crecimiento si se atienden y se les da solución, pues nos permiten poner de manifiesto desacuerdos y llegar a acuerdos justos.

Es posible que aprendas a reconocer el origen de algunos problemas con otros niños, jóvenes, adultos o ancianos; hombres o mujeres. También puedes aprender a solucionarlos sin violencia.

Para dar solución a diferencias con otras personas, sírvete de la palabra, el entendimiento y el diálogo, siempre con respeto y nunca con ofensas.

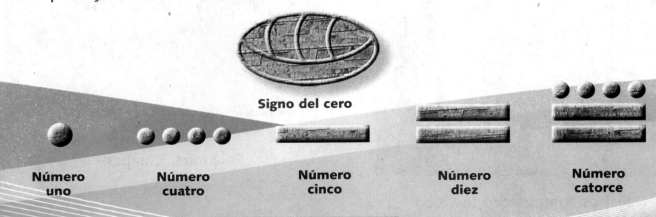

Signo del cero

| **Número uno** | **Número cuatro** | **Número cinco** | **Número diez** | **Número catorce** |

Se desarrollaron las matemáticas, con la invención del cero y la medición del tiempo.

La discordia suele surgir por diferencias de intereses o cuando no se respetan los derechos y libertades de las personas. También cuando no se permite que todos expresen sus ideas o cuando se establecen normas perjudiciales para algún grupo de personas para privilegiar a otras. Así, por dar un ejemplo, podría surgir un problema si se quitaran las clases de Educación Física a los grupos de segundo grado para dar más tiempo a los de sexto.

Las personas pueden tener diferencias con otros si no cumplen con los acuerdos y las normas que establecieron. Por ejemplo, cuando no

Palenque, Chiapas

Nuestros antepasados tuvieron historia e historiografía, es decir, el registro de hechos importantes y la reflexión de ellos.

cumplen las obligaciones en la clase o en la casa, o también cuando dejan de decir la verdad, pueden surgir problemas.

A veces puede parecer que sólo peleando o enfrentando violentamente a otros se puede dar solución a un problema; sin embargo, al pelear no se arreglará nada, sino que se agravará todo. Es necesario evitar la violencia y las reacciones que falten al respeto y que pongan en riesgo tu integridad o la de otras personas.

Tú puedes afrontar problemas que tengas de modo que no se vuelvan más grandes y difíciles de solucionar. Para ello necesitas tener disposición para comunicarte y establecer acuerdos justos.

Realizaron grandes trabajos de ingeniería, hidrología e hidráulica con los cuales se llevó agua a las casas, se previnieron inundaciones e incluso se construyó sobre el agua la gran Tenochtitlán.

Acércate a la otra persona directamente, o por medio de otro amigo, para hablar. Expresa tus intereses, escucha lo que quiere esa persona. Hablen sinceramente, sin intentar perjudicar al otro, para demostrar su interés de vivir con respeto y, si se puede, siendo buenos amigos.

Cuando todos los habitantes de un país se ponen de común acuerdo para ayudarse mutuamente es más fácil hacer frente a sus problemas. Para ello es necesario: aceptar que la responsabilidad es compartida; darse cuenta de que todos se beneficiarán; aceptar que la solidaridad es un valor que une a las familias, a los grupos, a los países y al mundo; sentir que la paz es la forma de vivir como seres que se ayudan y respetan; asumir

Coatlicue

Observatorio, Chichen Itzá

En los pueblos prehispánicos estudiaban la astronomía y la cosmogonía, es decir, el universo y la reflexión sobre su origen.

que toda persona tiene derecho a una vida con dignidad y respeto.

Mediante la participación democrática puedes sumar tu esfuerzo al de los otros para colaborar en tareas con el fin de identificar problemas compartidos, plantear soluciones y actuar esforzadamente para llevarlas a cabo. Al colaborar en la escuela, la casa y el lugar donde vives, contribuyes al bienestar común de nuestro país.

Aprende a participar y a tomar con los demás decisiones justas y apegadas a la legalidad. Ésta es la clave para vivir con armonía, bienestar y democracia.

Cabeza colosal 1 de La Venta

Entre los antiguos mexicanos fue muy importante el estudio del ser humano. Por eso decimos que eran filósofos.

El hombre que habla

Hubo un tiempo, hace mucho, en que los poderosos se sintieron solos. Cansados de estar nada más unos con otros, pensaron que necesitaban a alguien más con quien hablar, y que les dijera cómo los veía a ellos y cómo los quería y los respetaba.

Entonces los poderosos crearon a los animales; pero los animales solamente ladraban o maullaban o cacareaban o daban otros gritos que nada de lo que ellos querían oír decían a los poderosos.

Éstos, entonces, decidieron crear otros seres con quienes hablar y que les hablaran, y fabricaron unos hombres que eran como muñecos de madera o de lodo; como no podían hablar, éstos pronto se rompieron o se deshicieron.

Entonces, finalmente, los poderosos hicieron a los hombres y las mujeres de carne y hueso tal como somos ahora.

Estos hombres y mujeres sí podían hablar, y los poderosos estuvieron muy complacidos con ellos, porque ellos les contaban sus gustos y sus penas y sus necesidades, y les estaban agradecidos y los respetaban.

De esta manera, el poder de hablar vino a ser la cualidad principal de los hombres y las mujeres; les daba el modo de decir lo que sentían, lo que pensaban y lo que querían, y de comunicarlo a los demás y así ponerse de acuerdo para vivir todos juntos, formando grandes familias iguales y justas.

Por eso tú, como lo hicieron los antiguos niños a quienes nuestros antepasados les contaban este cuento, debes aprender a hablar bien, para que puedas comunicarte con otros niños y también con las personas mayores, y que todos puedan conocer lo que sientes, piensas y quieres, y te hagan caso, porque el poder de hablar sigue siendo el don mayor de los seres humanos.

Rubén Bonifaz Nuño
Cuentos de los abuelos

Diálogo y participación

En una democracia todos podemos y debemos participar. La participación democrática se basa en la palabra y en el diálogo.

Para participar te sugerimos que:

- identifiques las situaciones que te interesan o requieren solución;
- te informes lo mejor posible sobre el asunto;
- conozcas, acuerdes y respetes las reglas;
- dialogues, abierto a escuchar de manera respetuosa opiniones diferentes de las tuyas;
- valores las ideas presentadas y decidas tu posición ante las diversas opciones;
- expreses libremente tu opinión, decisión o voto;
- respetes y cumplas las decisiones tomadas.

Instituto Federal Electoral

El valor de las palabras

"¡Eres un tonto!", "eres un tonto". Ahí tienen dos ejemplos de cómo las mismas palabras pueden ser democráticas o no. En el primer caso, ¡Eres un tonto!, el tono y la intención son las de insultar y descalificar a alguien. Eso no es democracia, es autoritarismo. Pronunciadas con mayor suavidad y seguidas por una carcajada: eres un tonto, representan un encuentro democrático en la alegría y el ingenio. Como dice un libro muy antiguo llamado El Zóhar: las palabras nunca caen en el vacío. O nos unen, o crean distancia entre nosotros.

Tener civismo es conocer y respetar las leyes que nos permiten convivir en una ciudad o en una comunidad. No tenemos, por ejemplo, por qué gritar, insultar, mentir o engañar con las palabras. Todo esto daña la convivencia y nada tiene que ver con la democracia. Si te obligas a hablar bien, con claridad, con verdad y con gracia, ya estás en camino de ser un buen demócrata y un buen ciudadano. Te invito a que caminemos juntos por este lado luminoso de la calle. Me gustaría que fuéramos amigos.

Germán Dehesa

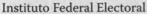

Para hacer

Conferencia

Dado que este año has aprendido mucho, y seguramente puedes hablar de ello, estás listo para dar una conferencia. ¿Sabes lo que es una conferencia y cómo prepararla?

Una conferencia es la exposición de un tema ante un público. Para prepararla:

- Elige un tema de interés para ti y tus compañeros; también puede ser un tema que tu maestro te asigne. En cualquier caso debes prepararte muy bien.
- Ya que hablarás ante un público durante 5 o 10 minutos, es necesario que prepares la información suficiente para ese tiempo.
- Redacta tu texto de acuerdo con la importancia de la información, su interés y las fuentes donde la obtuviste: libro, periódico, revista, videodocumental, Internet, o de alguien que te la dio.
- Ilustra tu conferencia con imágenes.
- Puedes invitar a alguien que te ayude. Por ejemplo, para hablar sobre música, invita a alguien a tocar algún instrumento o a ejemplificar lo que estás contando con una grabación.

Es importante que tu información esté bien ordenada y sea clara para que no pierdas la atención de quienes te escuchan.

Cuando hayas terminado, puedes guardar el texto final de tu conferencia en una carpeta para consulta. Puede ser de utilidad para algún futuro lector.

Tanto la conferencia como el fichero son bienes colectivos de la comunidad escolar y evidencias de su aprendizaje.

Participación y cooperación

Cuando formas parte de un grupo, como la familia o la escuela, compartes muchos de los problemas con el resto de sus integrantes. De ahí surge tu deber de participar para que se solucionen.

La participación es el principal ingrediente de la democracia.

En un ambiente democrático:

- Todas las personas pueden actuar y expresarse con libertad, y sus intervenciones son escuchadas con respeto y tolerancia.
- Los problemas y las diferencias entre las personas se resuelven mediante el diálogo.
- Todos se sienten bien recibidos, respetados por el grupo y son responsables de sus actos ante éste.

Por ejemplo, si en tu equipo de excursionismo hace falta un botiquín que sirva a ti y a tus compañeros para curarse una herida o atender una emergencia, es tarea de todos conseguirlo.

Póngase de acuerdo acerca de cómo adquirir lo que necesitan, como sería algodón, alcohol, desinfectante y gasas.

Cuando se ponen de acuerdo entre todos, sin dejar a nadie fuera, todos pueden cooperar y participar para lograr algo que los beneficie.

> Recuerda: sólo participando podemos crear formas de vida democráticas.

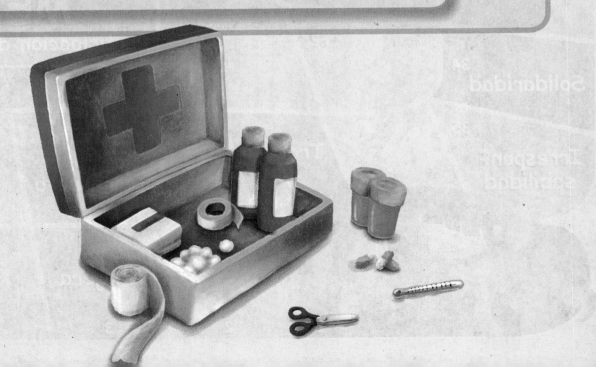

¡Juguemos a la Oca!

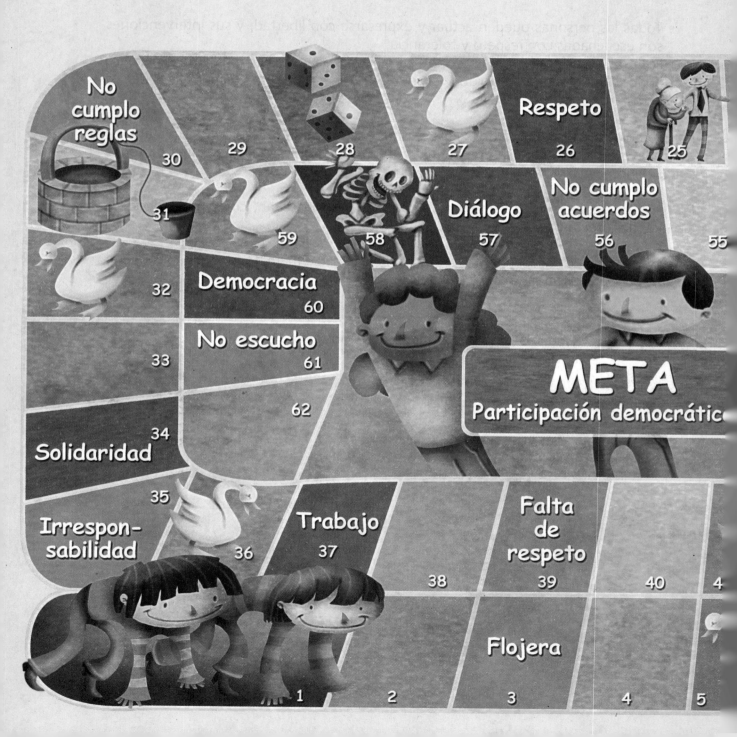

- No cumplo reglas 30
- 29
- 28
- 27
- Respeto 26
- 25
- 31
- 59
- Diálogo 57
- No cumplo acuerdos 56
- 55
- 58
- 32
- Democracia 60
- 33
- No escucho 61
- 62
- META Participación democrática
- 34
- Solidaridad
- 35
- Irrespon-sabilidad 36
- Trabajo 37
- 38
- Falta de respeto 39
- 40
- 4
- Flojera
- 1
- 2
- 3
- 4
- 5

Reglas:

- Lanza un dado y avanza tantas casillas como éste marque.
- Si caes en una casilla naranja, debes esperar dos turnos, pero si llegas a una verde, puedes tirar nuevamente.
- Si al tirar te toca en la oca, ¡VUELAS! el mismo número de casillas.
- El jugador que llegue al pozo, al laberinto o a la torre, se queda ahí, hasta que otro jugador ocupe su lugar.
- Si al tirar llegas a la casilla de la muerte, ¡PERDISTE!, y sales del juego.

Gana el jugador que llegue primero a la META.

No olviden revisar los mensajes que están dentro de algunas casillas.

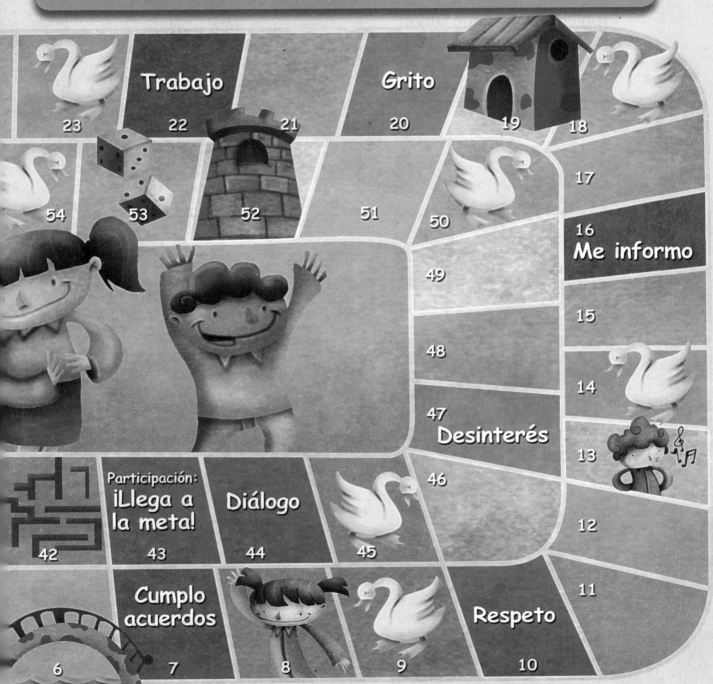

Prevenir y solucionar desavenencias y problemas

Observa las siguientes imágenes y anota en las líneas qué puede originar este problema y qué harías para evitarlo.

Problema que puede surgir:

_____

_____

Yo lo evitaría:

_____

_____

Problema que puede surgir:

_____

_____

Yo lo evitaría:

_____

_____

Los conflictos son parte de nuestra vida, y no deben terminar en peleas, u otra actitud violenta.

Una causa frecuente de problemas es que las personas no cumplan las normas establecidas.

Recuerda algún problema que hayas tenido porque no cumpliste alguna norma de tu casa.

¿Por qué se originó el problema?

_____

_____

¿Quiénes formaron parte del problema?

_____

_____

¿Qué hizo cada uno?

_____

_____

¿Qué piensas que hiciste bien?

_____

_____

¿Qué piensas que hiciste mal?

_____

_____

¿Solucionaste el problema? ¿Cómo?

_____

_____

¿Qué cambiarías en tus actitudes para resolver desacuerdos o desavenencias sin que haya enojos, gritos o violencia?

Yo cambiaría _____

_____

Compartir

Compartir lo que tienes ayuda a prevenir y solucionar algunos conflictos de la vida social.

Lee el antiguo cuento mexicano "Lo útil y lo bello". Analiza el problema y los sentimientos de las personas. Describe aquí cómo hicieron para vivir pacíficamente y mejorar su vida.

Reflexiona y describe aquí algún problema que hayas tenido por no compartir con otros un lugar, un juguete, un juego o alguna otra cosa.

Recuerda algún juego que se haya interrumpido por falta de respeto a alguien. ¿Qué harías para dar trato justo y respetuoso a todas las personas con quienes juegas?

Vamos a jugar juntos

Al jugar aprendes la importancia de incluir a todos, seguir las reglas del juego y ser justo. También aprendes a tomar decisiones.
En los ambientes democráticos se hace lo que la mayoría decide, en el marco de las normas de convivencia y respetando los derechos de las personas.

Piensa en un juego que te guste y medita acerca de cómo incluir a todo el que quiera jugar.

Uno de mis juegos favoritos es:

•————————————————————————————•

¿Cuáles son las reglas de ese juego?

•————————————————————————————•

•————————————————————————————•

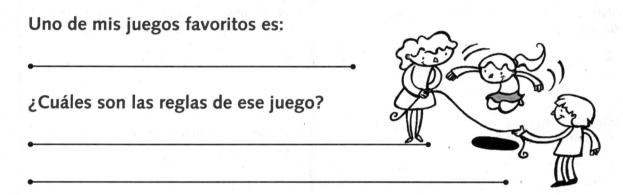

Para que pueda jugar quien quiera, yo propongo:

•————————————————————————————•

Autoevaluación

¿Cómo voy?

Escoge una respuesta y colorea la pirámide

Siempre S **Casi siempre** CS **Casi nunca** CN **Nunca** N

En la escuela, con mis maestros y mis compañeros

Dialogo con las personas para solucionar desacuerdos.

S CS CN N

Soluciono problemas con mis compañeros sin gritar ni ofender a nadie.

S CS CN N

Platico con mi grupo para decidir las actividades que realizaremos.

S CS CN N

Favorezco un ambiente de cooperación en mi grupo.

S CS CN N

Ayudo en la escuela en acciones en las que puedo participar y que nos benefician a todos.

S CS CN N

En mi casa, en la calle y otros lugares

Procuro solucionar los problemas que surjan con mis familiares mediante el diálogo.

S CS CN N

Evito agredir o dañar a mis vecinos.

S CS CN N

Facilito que las decisiones de mi familia, amigos o vecinos se tomen mediante el diálogo.

S CS CN N

Realizo actividades en las que colabora toda mi familia.

S CS CN N

Participo en mi comunidad para procurar un ambiente limpio y agradable.

S CS CN N

¿En qué puedo mejorar? _____

Himno Nacional Mexicano

CORO
Mexicanos, al grito de guerra
El acero aprestad y el bridón,
Y retiemble en sus centros la tierra
Al sonoro rugir del cañón.

I
Ciña ¡oh patria! tus sienes de oliva
De la paz el arcángel divino,
Que en el cielo tu eterno destino
Por el dedo de Dios se escribió.

Mas si osare un extraño enemigo
Profanar con su planta tu suelo,
Piensa ¡oh patria querida! que el cielo
Un soldado en cada hijo te dio.

[CORO]

II
¡Guerra, guerra sin tregua al que intente
De la patria manchar los blasones!
¡Guerra, guerra! Los patrios pendones
En las olas de sangre empapad.

¡Guerra, guerra! En el monte, en el valle
Los cañones horrísonos truenen,
Y los ecos sonoros resuenen
Con las voces de ¡Unión! ¡Libertad!

[CORO]

III
Antes, patria, que inermes tus hijos
Bajo el yugo su cuello dobleguen,
Tus campiñas con sangre se rieguen,
Sobre sangre se estampe su pie.

Y tus templos, palacios y torres
Se derrumben con hórrido estruendo,
Y sus ruinas existan diciendo:
De mil héroes la patria aquí fue.

[CORO]

IV
¡Patria! ¡patria! Tus hijos te juran
Exhalar en tus aras su aliento,
Si el clarín con su bélico acento
Los convoca a lidiar con valor.

¡Para ti las guirnaldas de oliva!
¡Un recuerdo para ellos de gloria!
¡Un laurel para ti de victoria!
¡Un sepulcro para ellos de honor!

CORO
Mexicanos, al grito de guerra
El acero aprestad y el bridón,
Y retiemble en sus centros la tierra
Al sonoro rugir del cañón.

Letra: **Francisco González Bocanegra**
Música: **Jaime Nunó**

Créditos iconográficos

P. 6, maestra con niño y niña, archivo iconográfico DGME-SEP. **P. 10**, (izq.) figurilla prehispánica, Bob Schalkwijk, Museo Amparo, Conaculta-INAH-MEX*; (centro) figurilla prehispánica, Bob Schalkwijk, Conaculta-INAH-MEX*; (der.) figurilla prehispánica, Mario Carrieri, Conaculta-INAH-MEX*. **P. 11**, (arr.) figurilla prehispánica, Pierre Alain Ferrazzinni, Conaculta-INAH-MEX*; (ab. izq.) tablero maya, Fernando Robles, Conaculta-INAH-MEX*; (ab. der.) figurilla prehispánica, Jane Beamish y Saul Peckham, Museo Britanico, Conaculta-INAH-MEX*. **P. 12**, (izq.) figurilla prehispánica, José Ignacio González Manterola, Conaculta-INAH-MEX*; (der.) cuna, Marco Antonio Pacheco, Museo Nacional de Antropología, Conaculta-INAH-MEX*. **P. 13**, (arr.) figurilla prehispánica, Tachi, Conaculta-INAH-MEX*; (ab.) figurilla prehispánica, Rita Robles Valencia, Museo Nacional de Antropología, Conaculta-INAH-MEX*, Artes de México, archivo iconográfico DGME-SEP. **P. 14**, (izq.) figurilla prehispánica, Rita Robles Valencia, Conaculta-INAH-MEX*; (der.) figurilla prehispánica, Rita Robles Valencia, Museo Nacional de Antropología, Conaculta-INAH-MEX*. **P. 15**, figurilla prehispánica, Marco Antonio Pacheco, Conaculta-INAH-MEX*. **P. 16**, (arr.) niño lavándose las manos, Juan Antonio García Trejo; (ab.) alumnos en patio realizando ejercicio, Heriberto Rodríguez, Coordinación General de Educación Intercultural y Bilingüe-SEP. **P. 19**, *Códice mendocino*, Conaculta-INAH-MEX*. **P. 20**, (centro) niño con bolígrafo, Heriberto Rodríguez, Coordinación General de Educación Intercultural y Bilingüe-SEP; (ab.) niña sentada en banca, Heriberto Rodríguez, Coordinación General de Educación Intercultural y Bilingüe-SEP. **P. 26**, plato del bien comer, Secretaría de Salud. P. 30, calendario azteca, Paola Stephens Díaz, Museo Nacional de Antropología, Conaculta-INAH-MEX*. **P. 31**, *Códice Borgia*, Tezcatlipotla negro, Museo Nacional de Antropología, Conaculta-INAH-MEX*. **P. 32-35**, los veinte días del calendario del *Códice Borgia*, Biblioteca Nacional de Antropología, Conaculta-INAH-MEX*. **P. 36**, cochinito, Baruch Loredo Santos. **P. 37**, (arr. izq.) tres niñas con uniforme, Comunicación Social-SEP; (ab. izq.) niña en plataforma de clavados, Fernando González; (ab. der.) niña con aro, Comunicación Social-SEP. **P. 38**, (centro) pirámide de Tlahuizcalpantecuhtli, bajo relieve de los jaguares, Tula, Hidalgo, D. Sodi, archivo fotográfico del Instituto de Investigaciones Estéticas de la UNAM, Conaculta- INAH-MEX*; (ab.) artesano tallando madera, Artes de México y el Mundo. **P. 39**, (arr.) pintores nahuas del Alto Balsas, Fernando García Álvarez, Conaculta; (ab. izq.) artesano labrando madera, Artes de México y el Mundo; (ab. der.) Francisco Coronel Navarro, Fernando García Álvarez, Conaculta. **P. 47**, (arr.) *Cuitlahuac*, de Miguel Noreña, fot. Heriberto Rodríguez, Conaculta- INAH-MEX*; (centro arr.) sor Juana Inés de la Cruz, Museo Nacional de Historia, Conaculta- INAH-MEX*; (centro ab.) Benito Juárez, Museo Nacional de Historia; (ab.) Carmen Serdán, ©CND. Sinafo-Fototeca Nacional del INAH. **P. 52**, niño moliendo, Francisco Palma. **P. 53**, (arr.) maíz colgado, archivo fotográfico Centro de Información

y Documentación "Alberto Beltrán", Museo Nacional de Culturas Populares; (ab. izq.) maíz con hojas, Francisco Palma. **P. 54**, (izq.) maíz azul, Jordi Farré, archivo iconográfico DGME-SEP; (centro) maíz con huitlacoche, Jordi Farré, archivo iconográfico DGME-SEP; (der.) maíz amarillo, archivo iconográfico DGME-SEP. **P. 55**, (izq.) preparado de tamal, Graciela Iturbide, CDI, Fototeca Nacho López; (der.) niño arando la tierra, Francisco Palma. **P. 56**, (izq.) hombre alimentando caballo, archivo fotográfico Centro de Información y Documentación "Alberto Beltrán", Museo Nacional de Culturas Populares; (der.) maíz colgando, Francisco Palma. **P. 57**, (izq.) monolito azteca, Jordi Farré, Museo Nacional de Antropología, Conaculta-INAH-MEX*; (der.) mural de Cacaxtla, Conaculta- INAH-MEX*. **P. 59**, maíz, Francisco Palma. **P. 72**, murales de Bonampak (detalle), Chiapas, Bob Schalkwijk, Conaculta-INAH-MEX*. **P. 73**, (izq.) mural *Quetzalcoatl* (detalle), de Diego Rivera, fot. Rafael Doniz, D.R. ©2010 Banco de México "Fiduciario" en el Fideicomiso relativo a los Museos Diego Rivera y Frida Kahlo. Av. Cinco de Mayo no. 2, col. Centro, del. Cuauhtémoc 06059, México, D.F., Instituto Nacional de Bellas Artes**; (der.) huéhuetl, Marco Antonio Pacheco, Museo Nacional de Antropología, Conaculta-INAH-MEX*. **P. 74**, (arr.) caracol, Baruch Loredo Santos; (ab. izq.) figurilla prehispánica, Marco Antonio Pacheco, Conaculta- INAH-MEX*; (ab. der.) silbato, Marco Antonio Pacheco, Conaculta- INAH-MEX*. **P. 75**, teponaztle, archivo fotográfico del Instituto de Investigaciones Estéticas de la UNAM, Museo Nacional de Antropología e Historia, Conaculta- INAH-MEX*. **P. 76**, (arr.) tambor de cerámica, Rafael Doniz, Museo Nacional de Antropología, Conaculta-INAH-MEX*; (centro) músicos, Marco Antonio Pacheco, Museo Nacional de Antropología, Conaculta- INAH-MEX*; (ab.) caracol, Baruch Loredo Santos, Museo Nacional de Antropología, Conaculta-INAH-MEX*. **P. 77**, (arr.) caracol, José Guadalupe Martínez, Conaculta-INAH-MEX*; (ab. izq.) violinista, editorial México Desconocido, S. A. de C. V.; (ab. der.) orquesta de Tlacotalpan, Adalberto Ríos Szalay, Conalmex-SEP **P. 79**, (izq.) niñas en coro, Comunicación Social-SEP; (centro) coro de niñas, Comunicación Social-SEP; (der.) niña con instrumento musical, Comunicación Social-SEP. **P. 92**, Chichén Itzá, Rafael Doniz, Conaculta-INAH-MEX*. **P. 94**, (izq.) mandatario maya, Rafael Doniz, Conaculta-INAH-MEX*; (der.) Palenque, Chiapas, Moisés Fierro Campos, Conaculta- INAH-MEX*. **P. 95**, mural *México-Tenochtitlán* de Miguel Covarrubias, fot. Juan Antonio García Trejo, Museo Nacional de Antropología, Conaculta-INAH-MEX*. **P. 96**, (izq.) Coatlicue, Fernando Robles, Museo Nacional de Antropología, Conaculta-INAH-MEX*; (der.) observatorio de Chichén Itzá, Baruch Loredo Santos, Conaculta- INAH-MEX*. **P. 97**, cabeza olmeca, Francisco Palma, Conaculta-INAH-MEX*. **P. 99**, Congreso de los Niños, Francisco Palma. P. 100, niñas exponiendo, Heriberto Rodríguez, archivo iconográfico DGME-SEP.

* Reproducción autorizada por el Instituto Nacional de Antropología e Historia.
** Reproducción autorizada por el Instituto Nacional de Bellas Artes y Literatura 2010.

Formación Cívica y Ética. Segundo grado
se imprimió en los talleres de la Comisión Nacional
de Libros de Texto Gratuitos, con domicilio en Av. Acueducto No. 2,
Parque Industrial Bernardo Quintana,
C.P. 76246, El Marqués, Qro., en el mes de febrero de 2011,
el tiraje fue de 2'898,900 ejemplares.
Sobre papel offset reciclado
con el fin de contribuir a la conservación
del medio ambiente, al evitar la tala de miles de árboles
en beneficio de la naturaleza y los bosques de México.

Impreso en papel reciclado

¿Qué piensas de tu libro?

Tu opinión es muy importante para nosotros. Te invitamos a que nos digas lo que piensas de tu libro de Formación Cívica y Ética, segundo grado. Lee las preguntas y tacha la carita feliz o la carita triste de acuerdo a la opción que mejor exprese tu opinión.

	Sí	No
¿Te gusta tu libro?	🙂	☹️
¿Te agradan sus imágenes?	🙂	☹️
¿Te gustan estas secciones?		
Platiquemos	🙂	☹️
Para aprender más	🙂	☹️
Para hacer	🙂	☹️
Juegos y actividades	🙂	☹️
Autoevaluación	🙂	☹️
Ilustraciones	🙂	☹️

Escribe:

1. ¿Qué has aprendido en tu libro?

_____

_____

2. Si tú fueras el autor o la autora del libro, ¿qué le agregarías?

_____

_____

3. Si tú fueras el autor o la autora del libro, ¿qué le quitarías?

_____

_____

Dirección General de Materiales Educativos
Dirección General de Desarrollo Curricular
Viaducto Río de la Piedad 507,
Granjas México, 8400, Iztacalco, México, D.F.

Dobla aquí

- -

Si deseas recibir una respuesta, anota tus datos.

Nombre: _____

Domicilio: _____

Calle	Número	Colonia

Entidad	Municipio o Delegación	C.P.

Dobla aquí

- -

Pega aquí

_____

_____

_____

_____

_____

_____

_____